# Rosamunde Pilcher

Urodziła się w roku 1924 w Kornwalii. Po ukończeniu szkoły przez rok pracowała w brytyjskim MSZ, potem wstąpiła do Kobiecej Służby Pomocniczej przy Marynarce Wojennej. Służbę odbywała w Porthmouth i Trincomalee na Cejlonie w jednostkach floty wschodnioindyjskiej. Pod koniec wojny wyszła za mąż za Grahama Pilchera i przeniosła się z nim do Szkocji, gdzie mieszka do dziś.

Pisać zaczęła bardzo wcześnie — pierwsze opowiadanie opublikowała, gdy miała 18 lat. Jej powieści zdobyły pochlebne opinie krytyki i ogromną popularność wśród czytelników. Jest także autorką sztuk teatralnych, stale współpracuje z wieloma czasopismami, które chętnie drukują jej opowiadania.

Nakładem Wydawnictwa „Książnica"
ukazały się powieści
ROSAMUNDE PILCHER

CZAS BURZY
DZIKI TYMIANEK
FIESTA W CALA FUERTE
ODGŁOSY LATA
PUSTY DOM
PRZESILENIE ZIMOWE
WRZESIEŃ
OSTATNIE DNI LATA

# Rosamunde PILCHER

## Inne spojrzenie

Przełożyła z angielskiego
Elżbieta Gepfert

Wydawnictwo „Książnica"

Tytuł oryginału
*Another View*

Koncepcja graficzna serii
i projekt okładki
*Marek J. Piwko*

Ilustracja na okładce
© Asbjorn Aakjaer

Logotyp serii
Mariusz Banachowicz

Fragmenty *Snu nocy letniej* W. Szekspira
w przekładzie Stanisława Koźmiana

ISBN 978-83-7132-993-7


Wydawnictwo „Książnica" Sp. z o.o.
Al. W. Korfantego 51/8
40-160 Katowice
tel. (032) 203-99-05, 254-44-19
faks (032) 203-99-06
Sklep internetowy: http://www.ksiaznica.com.pl
e-mail: ksiazki@ksiaznica.com.pl

Katowice 2007

Skład i łamanie:
Z.U. „Studio P", Katowice

# 1

W lutym w Paryżu świeciło słońce. Nad lotniskiem Le Bourget błyszczało zimnobłękitne niebo. Promienie słońca oślepiały odbijając się od pasów startowych, wciąż mokrych po nocnym deszczu. Dzień wydawał się piękny i kusił do wyjścia na otwarty taras — tylko po to, by się przekonać, że jasne słońce wcale nie grzeje, a rześka porywista bryza jest przenikliwa i chłodna. Pokonani, wycofali się do restauracji, by tam poczekać na zapowiedź lotu Emmy. Usiedli przy stoliku, pili czarną kawę i palili gauloise'y Christophera.

Zajęci sobą nie dostrzegali nikogo. Sami jednak przyciągali uwagę. Było to nieuniknione, ponieważ tworzyli interesującą parę. Emma, wysoka i bardzo smagła, zaczesała do tyłu przytrzymywane szylkretową opaską włosy, opadające prostymi czarnymi pasmami poniżej łopatek. Jej twarz nie była piękna, miała prosty nos i zdecydowany podbródek, trochę za wyraźne kości policzkowe i zbyt mocne rysy. Jednak tym rysom dodawały uroku duże, nieoczekiwanie szarobłękitne oczy i szerokie usta. Zdolne do posępnego skrzywienia, jeśli nie wszystko szło po jej myśli, potrafiły się także uśmiechać od ucha do ucha, kiedy była szczęśliwa. Teraz była szczęśliwa. W ten zimny słoneczny dzień miała na sobie jasnozielony spodnium i biały sweter z kołnierzykiem, który przez kontrast sprawiał, że jej twarz wydawała się brązowa. Efekt psuła tylko otaczająca ją masa bagażu, która przypadkowemu obserwatorowi mogła się wydać dobytkiem ocalonym z katastrofy.

Był to w istocie majątek uzbierany w ciągu sześciu lat życia za granicą. O tym jednak nikt nie wiedział. Trzy walizki za ogromną dopłatą oddała już na bagaż. Wciąż jeszcze miała ze sobą płócienną torbę, papierową reklamówkę, z której sterczały długie francuskie bagietki, kosz pełen książek i płyt, płaszcz przeciwdeszczowy, parę butów narciarskich i ogromny słomkowy kapelusz.

Christopher przyglądał się temu obojętnie i zastanawiał z roztargnieniem, jak Emma wniesie wszystko do samolotu.

— Mogłabyś założyć kapelusz, buty narciarskie i płaszcz. Miałabyś trzy rzeczy mniej do niesienia.

— Mam już na sobie parę butów, a wiatr i tak zdmuchnąłby mi kapelusz. Płaszcz jest obrzydliwy. Wyglądam w nim jak uchodźca. Nie mam pojęcia, dlaczego w ogóle go wzięłam.

— Powiem ci dlaczego. Bo w Londynie będzie padać.

— Może nie.

— Zawsze pada. — Zapalił od niedopałka kolejnego gauloise'a. — To jeszcze jeden powód, żebyś została ze mną w Paryżu.

— Mówiliśmy już o tym ze sto razy. Wracam do Anglii.

Uśmiechnął się bez gniewu. Droczył się tylko. Uśmiech sprawiał, że kąciki oczu z żółtymi plamkami wędrowały do góry; w połączeniu z chudym rozluźnionym ciałem nadawało mu to dziwnie koci wygląd. Nosił luźne barwne ubranie, podobne do cygańskiego. Wąskie sztruksowe spodnie, popękane buty, bawełniana błękitna koszula pod żółtym swetrem i zamszowa kurtka, bardzo stara, wyświecona przy łokciach i wokół kołnierzyka. Wyglądał na Francuza, lecz naprawdę był Anglikiem, tak jak Emma. Byli nawet spowinowaceni, ponieważ przed laty, gdy Emma miała sześć lat, a Christopher dziesięć, jej ojciec Ben Litton poślubił Hester Ferris, matkę Christophera. Związek trwał z niewielkimi tylko sukcesami osiemnaście miesięcy, po czym rozpadł się ostatecznie. Emma wspominała ten okres jako jedyny, kiedy poznała coś choćby w przybliżeniu podobnego do życia rodzinnego.

To Hester nalegała, by kupić domek w Porthkerris. Ben od wielu lat miał tam pracownię, jeszcze sprzed wojny, ale pozbawioną wszelkich wygód. Po jednym spojrzeniu na nędzę, w jakiej miała zamieszkać, Hester natychmiast kupiła dwie rybackie chaty, które zaczęła gustownie przerabiać. Bena nie interesowała ta działalność, dlatego to, co powstało, było głównie domem Hester. To ona zażądała działającej kuchenki, bojlera, który grzeje wodę, no i wielkiego kominka z płonącym drewnem — serca domu i miejsca, gdzie mogły się bawić dzieci.

Miała dobre chęci, ale niewielkie sukcesy w ich realizacji. Starała się ustępować Benowi. Wyszła za geniusza, znała jego reputację i była gotowa przymknąć oko na romanse, towarzystwo i stosunek do pieniędzy. Ale w końcu, jak to często się zdarza w całkiem zwyczajnych małżeństwach, pokonały ją drobiazgi. Zapomniane i nie zjedzone posiłki czy nie płacone miesiącami rachunki na drobne kwoty. Fakt, że Ben wolał pić w miejscowym pubie, zamiast w cywilizowany sposób, w domu, razem z nią. Pokonało ją to, że nie chciał mieć telefonu ani samochodu, oraz mnóstwo ludzkich wraków, które zapraszał, żeby spali na jej sofie. I w końcu jego całkowita niezdolność, by okazać jej jakiekolwiek uczucie.

Dlatego odeszła, zabrała ze sobą Christophera i niemal natychmiast złożyła pozew o rozwód. Ben zgodził się z zachwytem. Z zachwytem rozstał się też z chłopcem. Tym dwóm nigdy się jakoś nie układało. Ben był zazdrosny o męskie przywileje. Chciał być jedynym mężczyzną, który się w domu liczy, a Christopher, nawet w wieku dziesięciu lat, był osobnikiem, który nie pozwalał się ignorować. Mimo wszelkich wysiłków Hester, antagonizmu nie udało się załagodzić. Nawet uroda chłopca, która jak wierzyła Hester, oczaruje malarskie oko Bena, wywoływała wręcz przeciwny efekt. Wiele razy usiłowała namówić Bena, by namalował portret syna, jednak zawsze odmawiał.

Po ich wyjeździe życie w Porthkerris z wolna ześlizłnęło się w dawną rutynę. Emmą i Benem opiekowało się wiele nieporządnych kobiet, modelek albo studentek sztuki, które pojawiały się i znikały z życia Bena Littona z monotonnością kolejki do kina. Jedyne, co je łączyło, to oczarowanie Benem i wyniosłe lekceważenie domowego gospodarstwa. W miarę możliwości nie zwracały uwagi na Emmę, która nie tęskniła za Hester tak bardzo, jak tego oczekiwała większość znajomych. Tak jak Bena, i ją znużyły ciągłe porządki i składanie czystych ubrań. Jednak Christopher pozostawił w jej życiu pustkę, której nie potrafiła wypełnić. Przez jakiś czas tęskniła za nim. Próbowała nawet pisać listy, ale nie śmiała spytać Bena o adres. Raz w rozpaczy samotności uciekła, żeby go odszukać. Skończyło się to spacerem na stację i próbą kupienia biletu do Londynu — na rozpoczęcie poszukiwań Londyn wydał się miejscem nie gorszym od innych. Miała tylko szylinga i dziewięć pensów. Zawiadowca zabrał ją do dyżurki, która pachniała naftowymi lampami i płonącym w kominku czarnym kolejowym węglem. Dał jej herbaty w emaliowanym kubku i odprowadził do domu. Ben pracował i nie zauważył jej nieobecności. Nigdy więcej nie próbowała szukać Christophera.

Kiedy miała trzynaście lat, Benowi zaproponowano objęcie na dwa lata katedry na Uniwersytecie w Teksasie. Przyjął ofertę natychmiast, nie myśląc nawet o Emmie. Nastąpił niewielki rozłam, kiedy omawiano jej przyszłość. Pytany o córkę, Ben oświadczył, że po prostu zabierze ją ze sobą do Teksasu, ale ktoś — zapewne Marcus Bernstein — stwierdził, że lepiej jej będzie z daleka od niego. Trafiła więc do szkoły w Szwajcarii. Mieszkała w Lozannie przez trzy lata. Potem, nie wracając do Anglii, wyjechała do Florencji, by przez kolejny rok studiować włoską i renesansową sztukę. Tymczasem Ben znalazł się w Japonii. Kiedy spytała, czy mogłaby do niego przyjechać, odpowiedział telegraficznie: JEDYNE WOLNE ŁÓŻKO ZAJMUJE UROCZA GEJSZA. CZEMU NIE SPRÓBUJESZ ZAMIESZKAĆ W PARYŻU?

Emma przyjęła to filozoficznie. Miała siedemnaście lat i życie już jej nie zaskakiwało. Zrobiła to, co jej proponował. Znalazła pracę u rodziny o nazwisku Duprés, zamieszkałej w wysokim domu przy St. Germain. Ojciec był profesorem medycyny, matka nauczycielką. Emma opiekowała się trójką dobrze wychowanych dzieci, uczyła je angielskiego i włoskiego, a w sierpniu zabierała do skromnej rodzinnej willi w La Baule i cierpliwie czekała, aż Ben wróci do Anglii. Został w Japonii osiemnaście miesięcy, a kiedy wracał, wybrał drogę przez Stany Zjednoczone i spędził miesiąc w Nowym Jorku. Marcus Bernstein poleciał, by się tam z nim spotkać. Jak zwykle Emma o powodach tego spotkania nie dowiedziała się od samego Bena ani nawet od Marcusa, który był zwykle jej źródłem informacji, lecz z długiego ilustrowanego artykułu we francuskim „Réalités". Pisali tam o nowo wybudowanym Muzeum Sztuk Pięknych w Queenstown w stanie Wirginia. Ufundowała je pewna wdowa ku pamięci zmarłego męża, bogatego Wirgińczyka Kennetha Ryana. Na otwarcie działu malarstwa przewidziano retrospektywną wystawę obrazów Bena Littona, obejmującą jeszcze przedwojenne pejzaże, a także najnowsze abstrakcje.

Taka wystawa to zaszczyt i hołd, ale nieuchronnie sugerowała, że malarz jest godnym szacunku Wielkim Starym Mistrzem sztuki. Oglądając jedną z fotografii Bena — kanciastego, pełnego kontrastów, o ciemnej cerze, wystającym podbródku i śnieżnobiałych włosach — Emma zastanawiała się, jak przyjął ten hołd. Przez całe życie buntował się przeciw konwencjom, więc zupełnie nie mogła sobie wyobrazić, że pokornie przyjmuje tytuł Wielkiego Mistrza czegokolwiek.

— Cóż to za mężczyzna! — stwierdziła madame Duprés, kiedy Emma pokazała jej zdjęcie. — Bardzo atrakcyjny.

— Owszem — przyznała Emma i westchnęła, gdyż właśnie to było zawsze źródłem kłopotów.

W styczniu wrócił wraz z Marcusem do Londynu i natychmiast wyjechał do Porthkerris, by malować. Potwierdzał to list, który otrzymała od Marcusa. Gdy tylko nadszedł, Emma oświadczyła madame Duprés, że odchodzi. Państwo Duprés próbowali ją przekonać, skusić, przekupić, by zmieniła zdanie, ale była niewzruszona. Od sześciu lat praktycznie nie widziała ojca. Pora, żeby znów się poznali. Jechała do Porthkerris, aby z nim zamieszkać.

W końcu, ponieważ nie mieli innego wyboru, zgodzili się ją puścić. Zarezerwowała miejsce w samolocie i zaczęła się pakować. Wyrzuciła część zgromadzonego przez sześć lat dobytku, resztę zaś upchnęła do odrapanych, mocno zużytych walizek. Ale nawet te nie wystarczały. Emma w końcu postanowiła kupić wielki francuski kosz na zakupy, zdolny pomieścić kilka przedmiotów o nietypowych kształtach, których nie dała rady wcisnąć w nic innego.

Było to w szare zimne popołudnie, na dwa dni przed planowanym lotem. Madame Duprés była wtedy w domu, więc Emma wyjaśniła swoje kłopoty, zostawiła jej dzieci i wyszła. Ku swojemu zaskoczeniu przekonała się, że pada deszcz, lekka zimna mżawka. Chodniki na wąskich ulicach lśniły wilgocią, a wysokie bielone domy stały ciche i zamknięte w półmroku, jak twarze, które niczego nie zdradzają. Na rzece zahuczał holownik, zawieszona nad nim we mgle samotna mewa krzyczała rozpaczliwie. Iluzja Porthkerris stała się nagle bardziej realna niż rzeczywistość Paryża. Decyzja o powrocie, od tak dawna tkwiąca gdzieś w głębi umysłu, wykrystalizowała się we wrażenie, że jest już na miejscu.

Ta ulica nie prowadzi do ruchliwej Rue St. Germain, ale do portowej drogi. Będzie przypływ, zatoka wypełni się szarym morzem i rozkołysanymi łódkami. Ciężkie fale przetoczą się nad północnym falochronem... Atlantyk zwieńczony białymi grzywami... Poczuje znajome zapachy ryb z targu, maślanych bułeczek z piekarni. A dalej małe letnie sklepiki z zamkniętymi o tej porze roku okiennicami. I za okiennicami Ben przy pracy, w rękawiczkach dla ochrony przed chłodem. Jaskrawość jego palety byłaby krzykiem kolorów w tym paśmie szarych chmur objętych ramą północnego okna.

Wracała do domu. Będzie tam za dwa dni. Czuła wilgoć deszczu na twarzy i nagle odniosła wrażenie, że nie może już dłużej czekać. To uczucie radosnego pośpiechu sprawiło, że biegła całą drogę do małej *épicerie* przy Rue St. Germain, gdzie miała zamiar kupić kosz.

Był to maleńki sklepik pełen aromatów świeżego chleba i czosnkowej kiełbasy, z cebulami wiszącymi z sufitu niczym białe korale i z dzbanami wina, które miejscowi robotnicy kupowali na litry. Kosze wisiały u drzwi nanizane na długi kawałek sznura. Emma nie śmiała go rozwiązać, aby wybrać sobie jeden. Bała się, że wszystkie spadną na chodnik. Dlatego weszła do środka, szukając kogoś, kto jej pomoże. Wewnątrz była tylko gruba kobieta z pieprzykiem na twarzy. Obsługiwała jakiegoś klienta, więc Emma zaczekała. Klientem był młody jasnowłosy mężczyzna w przeciwdeszczowym płaszczu poznaczonym plamami wilgoci. Kupował bagietkę i kawałek wiejskiego masła. Emma przyjrzała mu się i stwierdziła, że przynajmniej od tyłu wygląda atrakcyjnie.

— *Combien*? — zapytał.

Gruba kobieta podliczyła należność ogryzkiem ołówka. Mężczyzna sięgnął do kieszeni, zapłacił, po czym się odwrócił. Uśmiechnął się do Emmy i ruszył do drzwi.

Nagle znieruchomiał. Z ręką opartą o framugę odwrócił się powoli, by spojrzeć na nią po raz drugi. Zobaczyła bursztynowe oczy i niedowierzający uśmiech.

Twarz była ta sama, znajoma chłopięca twarz przy nieznajomym męskim ciele. Wobec tak silnej iluzji Porthkerris, miała przez chwilę wrażenie, że jest on po prostu rozszerzeniem tej iluzji, wytworem pobudzonej wyobraźni. To nie był on. To nie mógł być...

Usłyszała własny głos:

— Christo.

Było to najbardziej naturalne na świecie nazwać go imieniem, którego tylko ona używała.

Powiedział cicho:

— Po prostu w to nie wierzę.

Potem upuścił swoje zakupy, wyciągnął ramiona, a Emma wpadła w nie i przytuliła się do lśniącego wilgotnego płaszcza.

Mieli dla siebie dwa dni. Emma powiedziała madame Duprés: „Mój brat jest w Paryżu", a madame, która miała dobre serce i pogodziła się z tym, że traci Emmę, pozwoliła jej ten czas spędzić z Christopherem. Korzystali z tego, chodząc wolno po ulicach miasta. Z mostów oglądali przepływające barki, zmierzające na południe, do słońca. Siedzieli w bladym świetle dnia i popijali kawę przy małych, okrągłych żelaznych stolikach. Kiedy padało, ukrywali się w Notre Dame albo w Luwrze, siadali na schodach pod Skrzydlatą Nike i bez przerwy rozmawiali. Tyle mieli sobie do powiedzenia, tak wiele mieli pytań.

Christopher po kilku błędnych decyzjach postanowił zostać aktorem. Było to wbrew woli matki; po osiemnastu miesiącach życia z Benem Littonem miała dość artystycznych temperamentów na resztę życia. Nie ustąpił jednak i zdołał nawet uzyskać stypendium Królewskiej Akademii Sztuki Dramatycznej. Pracował dwa lata w teatrze w Szkocji, bez sukcesu próbował przenieść się do Londynu, robił coś w telewizji. Nagle pracę przerwało mu zaproszenie od znajomego, którego matka miała dom w St.-Tropez.

— St.-Tropez zimą? — Emma nie mogła powstrzymać się od pytania.

— Zimą albo nigdy. Nigdy nie zaproponowano by nam tego latem.

— I nie było tam zimno?

— Potwornie. Nigdy nie przestawało padać. A kiedy wiał wiatr, okiennice stukały jak w horrorze.

W styczniu wrócił do Londynu zobaczyć się z agentem i dostał ofertę rocznego kontraktu z niewielką grupą teatralną na południu Anglii. Nie o takiej pracy marzył, ale była lepsza niż nic, zwłaszcza że kończyły mu się pieniądze, no i nie było to daleko od Londynu. Jednak pracę miał zacząć na początku marca, więc wrócił do Francji, załatwił swoje sprawy w Paryżu i w końcu spotkał Emmę.

A teraz irytował się, że ona tak szybko wraca do Anglii. Zrobił, co mógł, by skłonić ją do zmiany decyzji, do odłożenia lotu i pozostania z nim w Paryżu. Ale Emma była nieugięta.

— Nie rozumiesz. To coś, co muszę zrobić.

— Przecież staruszek nawet cię nie poprosił, żebyś przyjechała. Znowu będziesz wchodzić mu w drogę, przeszkadzać w tych jego miłostkach.

— Nigdy dotąd mu nie przeszkadzałam. — Roześmiała się, widząc upór na jego twarzy. — Zresztą nie ma sensu, żebym tu zostawała, skoro i tak wracasz w przyszłym miesiącu.

Skrzywił się.

— I żałuję. To taki marny teatrzyk w Brookford. Zagubię się w dżungli dwutygodniowych przedstawień. Poza tym mam jeszcze czternaście dni. Gdybyś tylko została w Paryżu...

— Nie, Christo.

— Wynajęlibyśmy mieszkanie na poddaszu. Pomyśl, jak byłoby cudownie. Co wieczór chleb i ser na kolację i mnóstwo czerwonego wina.

— Nie, Christo.

— Paryż wiosną... błękitne niebo, kwiaty i wszystkie te bzdury?

— Jeszcze nie ma wiosny. Wciąż trwa zima.

— Dlaczego nigdy nie możesz nikomu przyznać racji?

Ona jednak nie chciała zostać i w końcu uznał swoją porażkę.

— No dobrze, jeśli nie mogę cię przekonać, byś dotrzymała mi towarzystwa, będę się zachowywał jak dobrze wychowany Brytyjczyk. Odprowadzę cię na samolot.

— Wspaniale.

— To poświęcenie z mojej strony. Nie znoszę pożegnań.

Emma zgodziła się z nim. Czasami miała wrażenie, że przez całe życie żegna się z ludźmi. Dźwięk ruszającego pociągu wystarczał czasem, by pobudzić ją do płaczu.

— Ale to pożegnanie jest inne.

— Dlaczego inne? — chciał wiedzieć.

— Bo to nie jest prawdziwe pożegnanie. To *au revoir*. Stopień pośredni między dwoma powitaniami.

— Moja matka i twój ojciec nie będą zadowoleni.

— To nieważne, czy będą zadowoleni czy nie — odparła Emma. — Znowu się odnaleźliśmy. I tylko to się liczy.

Głośnik nad nimi zabrzęczał cicho i odezwał się damskim głosem:

— Panie i panowie. Lot Air France numer 402 do Londynu...

— To mój — powiedziała Emma.

Zgasili papierosy i zaczęli zbierać bagaż. Christopher wziął płócienną torbę, papierową reklamówkę i duży wyładowany kosz. Emma przerzuciła przez ramię płaszcz, niosła swoją torebkę, buty narciarskie i kapelusz.

— Szkoda, że nie chcesz go włożyć na głowę — stwierdził Christopher. — To by dopełniło obrazu.

— Wiatr by go zdmuchnął. Poza tym wyglądałabym śmiesznie.

Zeszli na dół, przeszli po lśniącej podłodze w stronę barierki, przy której tworzyła się już niewielka kolejka pasażerów.

— Chcesz jeszcze dzisiaj dojechać do Porthkerris?

— Tak. Pierwszym pociągiem, jaki złapię.

— A czy masz jakieś pieniądze? To znaczy funty, szylingi i pensy?

O tym nie pomyślała.

— Nie, ale to bez znaczenia. Mam czeki.

Ustawili się w kolejce za brytyjskim biznesmenem, który niósł jedynie swój paszport i cienki neseser. Christopher pochylił się.

— Przepraszam pana, czy mógłby nam pan pomóc?

Mężczyzna odwrócił się i ku swemu zdumieniu zobaczył twarz Christophera kilkanaście centymetrów od swojej. Christopher przybrał zatroskaną minę.

— Bardzo przepraszam, ale znaleźliśmy się w dość kłopotliwej sytuacji. Moja siostra wraca do Londynu. Nie była w domu od sześciu lat, więc ma bardzo dużo ręcznego bagażu, a dopiero co przeszła poważną operację...

Emma przypomniała sobie słowa Bena: Christopher nigdy nie ograniczy się do małego kłamstwa, jeżeli ma szansę na wielkie. Słuchając, jak wygłasza tę niesamowitą zmyśloną historię, uznała, że wybrał sobie dobry zawód. Był wspaniałym aktorem.

Zaczepiony w ten sposób biznesmen nie mógł się wykręcić.

— No cóż. Chyba tak...

— To bardzo miło z pana strony...

Płócienna torba i reklamówka z bagietkami trafiła na jedną rękę mężczyzny, kosz na drugą, obok nesesera. Emmie zrobiło się go żal.

— To tylko na przejście do samolotu... jest pan taki uprzejmy. Widzi pan, mój brat nie leci ze mną...

Kolejka ruszyła do przodu i stanęli przed barierką.

— Do widzenia, kochana Emmo — powiedział Christopher.

— Do widzenia, Christo.

Ucałowali się.

Smagła dłoń wyrwała jej z ręki paszport, przerzuciła stronę, przybiła pieczęć.

— Do widzenia.

Rozdzieliła ich barierka, formalności francuskich celników i inni podróżni sunący do przodu.

— Do widzenia.

Chciała, żeby zaczekał i patrzył, jak wsiada do samolotu, ale kiedy machała słomkowym kapeluszem, odwrócił się i odszedł. Włosy błyszczały mu w słońcu, a dłonie miał wbite w kieszenie zamszowej kurtki.

## 2

W lutym w Londynie padał deszcz. Zaczął padać o siódmej rano i nie ustawał aż do teraz. Tylko garstka ludzi zwiedzała wystawę, a i tych entuzjastów można było podejrzewać, że chcieli tylko schować się przed deszczem. Zdejmowali mokre płaszcze, składali ociekające parasole i przez chwilę stali narzekając na pogodę, zanim kupili katalog.

O wpół do dwunastej przyszedł człowiek, który chciał kupić obraz. Był Amerykaninem i mieszkał w Hiltonie. Zapytał o pana Bernsteina. Peggy, recepcjonistka, wzięła wizytówkę, poprosiła grzecznie, by chwilę zaczekał i poszła do gabinetu powiedzieć o tym Robertowi.

— Panie Morrow, czeka pewien Amerykanin, nazywa się... — zerknęła na wizytówkę. — Lowell Cheeke. Był tu tydzień temu i pan Bernstein pokazał mu tego Littona z jeleniami. Myślał, że go kupi, ale on ciągle był niezdecydowany. Twierdził, że musi to przemyśleć.

— Mówiłaś mu, że pan Bernstein jest w Edynburgu?

— Tak, ale on nie może czekać. Pojutrze wraca do Stanów.

— Lepiej się z nim spotkam — westchnął Robert.

Wstał, a kiedy Peggy otworzyła drzwi, by poprosić Amerykanina, błyskawicznie uporządkował biurko. Ułożył listy, wysypał do kosza zawartość popielniczki, a sam kosz wepchnął czubkiem buta pod blat.

— Pan Cheeke — zaanonsowała Peggy niczym doświadczona pokojówka.

Robert wyszedł zza biurka, by uścisnąć gościowi rękę.

— Miło mi pana poznać, panie Cheeke. Jestem Robert Morrow, wspólnik pana Bernsteina. Przykro mi, ale pan Bernstein jest dziś w Edynburgu. Czy mógłbym w czymś pomóc?

Lowell Cheeke był niskim, mocno zbudowanym mężczyzną w płaszczu i kapeluszu z wąskim rondem. Jedno i drugie było bardzo mokre, co wskazywało, że nie przyjechał taksówką. Przy pomocy Roberta zaczął się pozbywać przemoczonego okrycia, odsłaniając niemnący granatowy garnitur i koszulę w paski. Zza okularów bez oprawek wyzierały chłodne szare oczy. Wygląd nie pozwalał oszacować możliwości Cheeke'a, ani finansowych, ani artystycznych.

— Bardzo panu dziękuję... — powiedział Cheeke. — Cóż za potworny ranek...

— Nie wygląda na to, że przestanie padać... Papierosa, panie Cheeke?

— Nie, dziękuję, już nie palę. — Odchrząknął z zakłopotaniem. — Żona kazała mi rzucić.

Uśmiechnęli się obaj na wzmiankę o kobiecych wymaganiach. Uśmiech nie objął oczu Cheeke'a. Przysunął sobie krzesło i usiadł, zakładając na kolano błyszczący czarny trzewik. Wyraźnie czuł się jak w domu.

— Byłem tu tydzień temu, panie Morrow, i pan Bernstein pokazał mi obraz Bena Littona. Recepcjonistka już pewnie o tym wspomniała.

— Owszem, ten z jeleniami.

— Jeśli można, chciałbym go obejrzeć jeszcze raz. Pojutrze wracam do Stanów i muszę podjąć decyzję.

— Ależ oczywiście!

Obraz czekał na decyzję Cheeke'a tam, gdzie zostawił go Marcus: oparty o ścianę gabinetu. Robert przeciągnął na środek pokoju sztalugi, odwrócił w stronę światła i ostrożnie umieścił tam płótno Bena Littona. To był duży olej przedstawiający trzy jelenie w lesie. Światło sączyło się przez ledwie zarysowane gałęzie. Artysta użył sporo białego koloru, co nadawało wizji nieco baśniowy nastrój. Jednak najbardziej interesującą cechą obrazu było to, że nie namalowano go na płótnie, ale na jucie. Bardziej szorstka tkanina rozmyła pociągnięcia pędzla, tak jak na zdjęciu rozmywają się kontury szybko poruszającego się obiektu.

Amerykanin przysunął sobie krzesło i wbił w obraz zimne spojrzenie zza okularów. Robert cofnął się dyskretnie, żeby w żaden sposób nie utrudniać Cheeke'owi oceny. Okrągła, krótko ostrzyżona głowa potencjalnego klienta przysłaniała mu część obrazu. Robert lubił to dzieło, chociaż nie był miłośnikiem Bena Littona. Uważał jego prace za trochę afektowane i nie zawsze zrozumiałe; być może były odzwierciedleniem osobowości artysty. Ale na te szybkie leśne impresje można było patrzeć, żyć obok nich i nigdy się nimi nie znudzić.

Cheeke wstał, podszedł do obrazu, potem odsunął się jeszcze raz, w końcu oparł się o biurko Roberta.

— Jak pan sądzi, panie Morrow — powiedział nie odwracając się. — Dlaczego Litton namalował to na worku?

Słowo „worek" rozśmieszyło Roberta. Miał ochotę odpowiedzieć bez krzty szacunku: „Pewnie akurat miał pod ręką jakiś stary worek", ale Amerykanin nie wyglądał na człowieka, który doceniłby ten brak poszanowania. Cheeke przybył tu, by wydać pieniądze, a to zawsze jest sprawą poważną. Robert uznał, że gość traktuje Littona jak inwestycję i ma nadzieję, że zakup mu się opłaci.

— Przykro mi, panie Cheeke, ale nie mam pojęcia. Chociaż istotnie nadaje to obrazowi niezwykły nastrój.

Cheeke odwrócił głowę i przez ramię posłał Robertowi zimny uśmiech.

— Nie jest pan poinformowany o szczegółach tak dobrze jak pan Bernstein.

— Nie — przyznał Robert. — Obawiam się, że nie.

Cheeke wrócił do kontemplacji. Zapadła cisza. Robert z trudem skupiał uwagę. Przeszkadzały mu drobne dźwięki: tykanie zegarka na ręku, pomruk głosów zza drzwi i podobny do uderzeń fal przytłumiony huk, który był ruchem ulicznym na Piccadilly.

Amerykanin westchnął głęboko. Sięgnął do kieszeni, jakby czegoś szukał. Może chusteczki. Może drobnych na taksówkę do Hiltona. Rozluźnił się. Robert nie zdołał go przekonać, że warto kupić Littona. Teraz pewnie przeprosi i pójdzie sobie.

Po chwili jednak okazało się, że Cheeke po prostu szukał pióra. Gdy się odwrócił, Robert dostrzegł, że w drugiej ręce trzyma już książeczkę czekową.

Kiedy zakończyli interesy, Cheeke rozluźnił się zupełnie. Stał się całkiem ludzki, zdjął nawet okulary i schował je do wytłaczanego skórzanego futerału. Przyjął zaproponowanego drinka i usiadł na chwilę z kieliszkiem sherry w dłoni. Rozmawiali o Marcusie Bernsteinie, Benie Littonie i o dwóch czy trzech obrazach, które Cheeke nabył podczas swojej ostatniej wizyty w Londynie. Razem z dzisiejszym zakupem miały tworzyć jądro niewielkiej prywatnej kolekcji. Robert powiedział mu o wystawie Bena Littona, planowanej na kwiecień w Queenstown w Wirginii. Cheeke zanotował to w kalendarzu. Potem obaj wstali, a Robert podał Cheeke'owi płaszcz i kapelusz. Uścisnęli sobie dłonie.

— Miło mi było pana poznać, panie Morrow, i równie miło załatwiać z panem interesy.

— Mam nadzieję, że zobaczymy się podczas pana następnej wizyty w Londynie.

— Odwiedzę pana, z całą pewnością...

Robert przytrzymał drzwi i przeszli do galerii. Bernstein wystawiał właśnie kolekcję ptaków i zwierząt autorstwa nieznanego Latynosa o nazwisku nie do wymówienia — człowieka niskiego pochodzenia, który jakoś, kiedyś, choć to nie do uwierzenia, nauczył się malować. Marcus spotkał go w zeszłym roku w Nowym Jorku. Był pod wrażeniem jego prac i zaproponował zorganizowanie wystawy w Londynie. Teraz te wspaniałe obrazy wisiały na jasnozielonych ścianach Galerii Bernsteina i wydawało się, że w szary poranek napełniają salę zielenią i słońcem bardziej zdrowego klimatu. Krytycy byli zachwyceni. Od otwarcia wystawy, dziesięć dni temu, galeria ani razu nie była pusta. Po dwudziestu czterech godzinach wszystkie obrazy zostały sprzedane.

Jednak w tej chwili w galerii znajdowały się tylko trzy osoby. Jedną z nich była Peggy, elegancka i dyskretna za półokrągłym biurkiem, zajęta próbnymi wydrukami nowego katalogu. Drugą — mężczyzna w czarnym kapeluszu; pochylony niczym kruk, spacerował wolno dookoła. Ostatnia to dziewczyna siedząca przodem do drzwi gabinetu na półokrągłej sofie, stojącej na środku sali. Nosiła jasnozielony spodnium, a otaczający ją bagaż stwarzał wrażenie, że zawędrowała do Galerii Bernsteina w błędnym przeświadczeniu, że to dworcowa poczekalnia.

Robert z doskonałym opanowaniem zdołał zachować się tak, jakby jej tam wcale nie było. Razem z Cheekiem przeszli po puszystym dywanie do głównych drzwi. Robert pochylał głowę, by pochwycić ostatnie uwagi klienta. Szklane drzwi otworzyły się i zamknęły za nimi. Pochłonął ich półmrok tego okropnego poranka.

— Czy to pan Morrow? — spytała Emma Litton.

Peggy uniosła głowę.

— Tak.

Emma nie była przyzwyczajona, by ją ignorowano. Szybkie spojrzenie mężczyzny sprawiło, że poczuła się niezręcznie. Żałowała, że Marcus jest w Edynburgu. Założyła nogę na nogę, potem znów usiadła prosto. Z zewnątrz dobiegł warkot odjeżdżającej taksówki. Po chwili ponownie otworzyły się szklane drzwi i Robert Morrow wszedł do galerii. Nie powiedział ani słowa, po prostu stanął i chłodno spojrzał na Emmę i otaczający ją chaos.

Stwierdziła, że chyba nigdy w życiu nie widziała człowieka, który by mniej przypominał marszanda. Miał taką twarz, że gdyby była szczuplejsza i nie ogolona, mogłaby należeć do żeglarza, któremu pomagają wysiąść z małego jachtu po samotnej podróży dookoła świata. Albo do człowieka, który w ciemnych goglach spogląda z nie zdobytego dotąd szczytu. Ale tutaj, w tej eleganckiej, wyrafinowanej atmosferze Galerii Bernsteina, zupełnie nie pasował. Był bardzo wysoki, miał szerokie ramiona i długie nogi; wszystko to podkreślał gładko skrojony ciemnoszary garnitur. W młodości mógł być rudy, ale lata przyciemniły mu włosy, a przez kontrast z nimi szare oczy wydawały się jasne jak stal. Wyraźnie zarysowane kości policzkowe i wysunięty podbródek świadczyły o uporze. Zdziwiła się, że takie rysy mogą dawać tak atrakcyjny rezultat. Potem przypomniała sobie powiedzenie Bena, że charakter uwidacznia się nie w oczach, gdzie emocje są przelotne i zawsze możliwe do zamaskowania, ale w fizycznym kształcie ust. Usta tego mężczyzny były szerokie, z lekko wystającą dolną wargą. W tej chwili wyglądał, jakby z trudem powstrzymywał śmiech.

Cisza stała się nieprzyjemna. Emma usiłowała się uśmiechnąć.

— Dzień dobry — powiedziała.

Robert Morrow spojrzał na Peggy, szukając oświecenia. Peggy była wyraźnie rozbawiona.

— Ta młoda dama chce się widzieć z panem Bernsteinem.

— Przykro mi — odparł. — Jest w Edynburgu.

— Tak, to już wiem. Chciałam tylko, by zrealizował mój czek.

Robert zdziwił się jeszcze bardziej. Emma uznała, że pora wyjaśnić sytuację.

— Nazywam się Emma Litton. Ben Litton jest moim ojcem.

Zdziwienie zniknęło.

— Dlaczego od razu mi pani nie powiedziała? Przepraszam, nie miałem pojęcia. — Podszedł bliżej. — Bardzo mi miło...

Emma wstała. Leżący na kolanach słomkowy kapelusz spłynął na dywan i spoczął tam zwiększając chaos, który wniosła do tego elegancko urządzonego pomieszczenia.

Podali sobie ręce.

— Ja... nie mógł pan wiedzieć, kim jestem. Strasznie mi przykro z powodu tych rzeczy. Widzi pan, nie byłam w domu od sześciu lat, więc trochę się tego nazbierało.

— Tak, widzę.

Emma była zakłopotana.

— Jeśli zrealizuje mi pan czek, natychmiast to wszystko zabiorę. Potrzebuję tylko tyle, żeby dostać się do Porthkerris. Zapomniałam wymienić funty w Paryżu, a skończyły mi się czeki podróżne.

Zmarszczył brwi.

— Ale jak dostała się pani aż tutaj? To znaczy z lotniska?

— Och — zdążyła zapomnieć. — Poznałam w samolocie takiego uprzejmego człowieka. Pomógł mi wnieść bagaż i wynieść w Londynie. Pożyczył mi funta. Muszę mu go odesłać. Mam jego adres... tu gdzieś. — Poszperała po kieszeniach, ale nie zdołała odszukać wizytówki. — W każdym razie gdzieś go mam. — Uśmiechnęła się w nadziei, że tym go nieco rozbroi.

— Kiedy jedzie pani do Porthkerris?

— Jest chyba pociąg o dwunastej trzydzieści.

Zerknął na zegarek.

— Już pani nie zdąży. A następny?

Emma spojrzała niepewnie. Peggy wtrąciła się do rozmowy, jak zwykle uprzejma i praktyczna.

— Odjeżdża chyba o drugiej trzydzieści, panie Morrow, zaraz sprawdzę.

— Jeśli możesz, Peggy. Czy druga trzydzieści pani odpowiada?

— Tak, oczywiście. Nie ma znaczenia, kiedy tam dotrę.

— Czy ojciec pani oczekuje?

— No więc... Wysłałam mu list i napisałam, że przyjeżdżam, ale to nie znaczy, że mnie oczekuje...

Uśmiechnął się.

— No tak... — Znowu spojrzał na zegarek. Było piętnaście po dwunastej. Peggy rozmawiała przez telefon, wypytując o odjazdy pociągów. Ogarnął wzrokiem rozległy bagaż.

Próbując choć trochę naprawić sytuację, Emma schyliła się i podniosła kapelusz.

— Najlepiej będzie, jeśli usuniemy to z drogi — powiedział Robert. — Złożymy wszystko w moim gabinecie, a potem... Jadła już pani?

— Wypiłam kawę na Le Bourget.

— Jeśli pojedzie pani tym o drugiej trzydzieści, to mamy dość czasu, by zjeść razem lunch.

— Och, proszę nie robić sobie kłopotu.

— To żaden kłopot. I tak muszę coś zjeść, więc równie dobrze może mi pani towarzyszyć. Chodźmy.

Podniósł dwie walizki i ruszył do gabinetu. Emma chwyciła, ile zdołała, i poszła za nim. Obraz z jeleniami wciąż stał na sztalugach. Dostrzegła go od razu i zatrzymała się.

— To Bena.

— Tak. Właśnie go sprzedałem...

— Małemu człowieczkowi w przeciwdeszczowym płaszczu? Dobry jest, prawda? — Podziwiała obraz, a Robert przeniósł resztę bagażu. — Ciekawe, dlaczego namalował go na worku?

— Może go pani spytać wieczorem.

Odwróciła się i uśmiechnęła przez ramię.

— Może pod wpływem szkoły japońskiej?

— Żałuję, że nie wpadłem na to, gdy rozmawiałem z panem Cheekiem. Możemy już iść na lunch?

Wyjął ze stojaka ogromny czarny parasol i przepuścił Emmę przodem. Zostawili Peggy, żeby broniła twierdzy, w której znów zapanował zwykły spokój, i wyszli na deszcz ukryci pod czarnym parasolem, przepychając się przez tłum na Kent Street.

Zabrał ją do Marcella, gdzie zwykle jadał, jeśli nie podejmował jakiegoś ważnego gościa. Marcello był Włochem i prowadził niewielką restaurację na piętrze, dwie przecznice od Galerii Bernsteina. Zawsze trzymał stolik zarezerwowany dla Marcusa albo Roberta, albo ich obu, jeśli przypadkiem mieli czas, żeby zjeść razem. Był to skromny stolik w spokojnym kątku. Dzisiaj, kiedy Robert i Emma weszli na górę, Marcello tylko raz spojrzał na kobietę z kokiem czarnych włosów i na jej zielony kostium, po czym zapytał, czy nie wolą usiąść przy oknie.

Robert uśmiechnął się.

— Ma pani ochotę usiąść przy oknie? — spytał Emmę.

— A gdzie pan zwykle siedzi? — Wskazał mały stolik w rogu. — Więc dlaczego nie możemy tam usiąść?

Marcello był nią oczarowany. Odprowadził ich do stolika, przysunął Emmie krzesło i wręczył obojgu wielkie menu wypisane delikatnym fioletowym atramentem. Potem odszedł, by podać dwie szklanki Tio Pepe, podczas gdy oni zastanawiali się, co zamówić.

— Moje akcje u Marcella skoczyły w górę — stwierdził Robert. — Chyba nigdy nie przyprowadziłem tu dziewczyny.

— A kogo zwykle pan przyprowadza?

— Przychodzę sam albo z Marcusem.

— Jak się miewa Marcus? — spytała ciepło.

— Bardzo dobrze. Będzie żałował, że się z panią minął.

— To moja wina. Powinnam napisać i uprzedzić go, że przyjeżdżam. Ale jak pan pewnie zauważył, my, Littonowie, rzadko dajemy komukolwiek znać o czymkolwiek.

— Ale wiedziała pani, że Ben wrócił do Porthkerris?

— Tak. Marcus mi o tym pisał. Wiem też wszystko o tej retrospektywnej wystawie, ponieważ czytałam artykuł w „Réalités". — Uśmiechnęła się kwaśno. — Bycie córką sławnego ojca ma swoje zalety, nawet jeśli on ogranicza się do wysyłania telegramów. Zwykle można z tej czy innej gazety dowiedzieć się, co u niego słychać.

— Kiedy ostatnio go pani widziała?

— Och... — Wzruszyła ramionami. — Byłam we Florencji, a on zatrzymał się tam w drodze do Japonii.

— Nie zdawałem sobie sprawy, że droga do Japonii prowadzi przez Florencję.

— Owszem, jeśli przypadkiem ma się tam córkę. — Oparła łokcie o stół i podparła brodę dłońmi. — Pewnie pan nawet nie wiedział, że Ben ma córkę.

— Oczywiście, że wiedziałem.

— Ja nic o panu nie wiedziałam. To znaczy nie wiedziałam, że Marcus ma wspólnika. Był sam, kiedy Ben jechał do Teksasu, a mnie upchnęli w Szwajcarii.

— Mniej więcej wtedy przyłączyłem się do Bernsteina.

— Ja... nigdy nie znałam nikogo, kto by mniej przypominał marszanda. Niż pan, chciałam powiedzieć.

— Może dlatego, że nie jestem marszandem.

— Ale... właśnie sprzedał pan temu człowiekowi obraz Bena.

— Nie — wyjaśnił. — Po prostu przyjąłem czek. Marcus mu go sprzedał, już tydzień temu, chociaż pan Cheeke jeszcze sobie tego nie uświadamiał.

— Ale musi pan wiedzieć coś o malarstwie.

— Owszem, wiem. Nie można pracować z Marcusem przez tyle lat i nie wchłonąć choć drobnego ułamka jego ogromnej wiedzy. Ale w zasadzie jestem biznesmenem. Dlatego Marcus przyjął mnie na wspólnika.

— Przecież o ile wiem, interesy Marcusa idą świetnie.

— Otóż to. Tak świetnie, że całe to przedsięwzięcie z galerią za bardzo się rozrosło, żeby sam dawał sobie z nim radę.

Emma przyglądała mu się nadal, marszcząc lekko ciemne brwi.

— Jeszcze jakieś pytania?

Nie pozwoliła zbić się z tropu.

— Czy zawsze był pan bliskim przyjacielem Marcusa?

— Tak naprawdę to chce pani wiedzieć, dlaczego przyjął mnie do firmy? Marcus jest nie tylko moim partnerem, ale także szwagrem. Ożenił się z moją starszą siostrą.

— To znaczy, że Helen Bernstein jest pańską siostrą?

— Pamięta pani Helen?

— Ależ oczywiście. I małego Davida. Jak się czują? Proszę im przekazać ucałowania, dobrze? Wie pan, bywałam u nich, gdy Ben przyjeżdżał do Londynu i nie miał mnie z kim zostawić w Porthkerris. Kiedy wyjeżdżałam do Szwajcarii, Marcus i Helen odprowadzili mnie do samolotu; Ben wyjechał wcześniej do Teksasu. Proszę powiedzieć Helen, że wróciłam do domu i że zaprosił mnie pan na lunch.

— Na pewno wszystko przekażę.

— Czy nadal mają to małe mieszkanie przy Brompton Road?

— Nie. Szczerze mówiąc, kiedy zmarł mój ojciec, przeprowadzili się do mnie. Mieszkamy w starym rodzinnym domu, w Kensington.

— To znaczy, wszyscy mieszkacie razem?

— Razem i osobno. Marcus, Helen i David zajmują parter i piętro, stara gospodyni ojca mieszka w suterenie, a ja na strychu.

— Nie jest pan żonaty?

Przez chwilę wyglądał na poirytowanego.

— Nie, nie jestem.

— Byłam pewna, że pan jest żonaty. Wygląda pan na żonatego.

— Nie bardzo wiem, jak mam to rozumieć.

— Och, to nie jest negatywne określenie. Właściwie to komplement. Chciałabym, żeby Ben tak wyglądał. Bardzo ułatwiłoby to życie wszystkim zainteresowanym. Zwłaszcza mnie.

— Nie chce pani wrócić i z nim zamieszkać?

— Oczywiście, że chcę, jak najbardziej. Ale nie chcę, żeby to się skończyło porażką. Nigdy nie radziłam sobie z Benem zbyt dobrze i nie sądzę, by teraz coś się zmieniło.

— Więc dlaczego pani tam jedzie?

— No cóż... — Pod chłodnym spojrzeniem szarych oczu Roberta Morrowa trudno było się skupić. Chwyciła widelec i zaczęła kreślić jakieś wzory na białym obrusie. — Sama nie wiem. Człowiek ma tylko jedną rodzinę. Jeśli ludzie należą do siebie, powinni przynajmniej być w stanie ze sobą mieszkać. Chcę zachować jakieś wspomnienia. Kiedy będę stara, chcę pamiętać, że choćby przez kilka tygodni mój ojciec i ja żyliśmy wspólnie. Czy to brzmi bezsensownie?

— Nie, to wcale nie brzmi bezsensownie. Ale wygląda na to, że może się pani rozczarować.

— Przyzwyczaiłam się do rozczarowań już jako dziecko. Ich brak uważam za luksus, bez którego mogę sobie poradzić. Poza tym zamierzam tam zostać tylko do chwili, gdy stanie się boleśnie oczywiste, że nawet godziny dłużej nie wytrzymamy swego towarzystwa.

— Lub — dodał delikatnie Robert — nie wybierze towarzystwa innej osoby.

Emma gwałtownie uniosła głowę. Oczy gniewnie błysnęły błękitem. Przypominała teraz swego ojca w chwili, gdy jest całkiem pozbawiony skrupułów, kiedy żadnej odpowiedzi nie uzna za nazbyt okrutną, nazbyt kąśliwą. Jej gniew nie spowodował jednak nic takiego. Po chwili milczenia znów spuściła wzrok i wróciła do rysunków na obrusie. Powiedziała tylko:

— Zgoda. Aż do tej chwili.

Napięcie opadło, gdy podszedł Marcello z kieliszkami sherry, by przyjąć zamówienia. Emma wybrała tuzin ostryg i smażone kurczę; Robert, bardziej konserwatywny, bulion i stek. Potem taktownie zmienił temat.

— Proszę opowiedzieć o Paryżu. Jak teraz wygląda?

— Mokro. Mokro, zimno i słonecznie jednocześnie. Czy coś to panu mówi?

— Wszystko.

— Zna pan Paryż?

— Bywam tam w interesach. Ostatnio w zeszłym miesiącu.

— W interesach?

— Tym razem wracałem z Austrii. Przez trzy tygodnie jeździłem na nartach.

— Gdzie?

— W Obergurgl.

— Dlatego jest pan taki opalony. To jeden z powodów, dla których nie wyglądał mi pan na marszanda.

— Może kiedy zejdzie opalenizna, będę wyglądał bardziej poważnie i potrafię wytargować wyższe ceny. Jak długo była pani w Paryżu?

— Dwa lata. Będę za nim tęskniła. Jest tak piękny, zwłaszcza teraz, bo deszcz wymył wszystkie budynki. A poza tym o tej porze roku w Paryżu panuje niezwykły nastrój. Zima już prawie się kończy, słońce jest nisko, wkrótce znów będzie wiosna...

Pąki się rozwijają, mewy krzyczą, nurkując nad brunatnymi brzegami Sekwany. I barki, jak kamienie naszyjnika, sunące pod mostami, zapach metra, czosnku i gauloise'ów. I obecność Christophera.

Nagle poczuła, że musi o nim opowiedzieć, wymówić jego imię, przekonać siebie o jego istnieniu. Rzuciła obojętnym tonem:

— Chyba nie znał pan Hester, prawda? Mojej macochy? Była nią przez osiemnaście miesięcy.

— Słyszałem o niej.

— A o Christopherze? Jej synu? Zna pan Christophera? Zupełnie przypadkiem spotkałam go w Paryżu. Dwa dni temu. Przyszedł dziś rano i odprowadził mnie na Le Bourget.

— Chce pani powiedzieć... że tak zderzyliście się...?

— Tak, właśnie tak... w sklepie spożywczym. To może się zdarzyć tylko w Paryżu.

— Co on tam robił?

— Po prostu spędzał czas. Był w St.-Tropez, ale w marcu wraca do Anglii, by podjąć pracę w teatrze.

— Jest aktorem?

— Tak. Nie mówiłam panu? Jest tylko jedna sprawa... Nie powiem o tym Benowi. Widzi pan, Ben nigdy nie lubił Christophera i nie sądzę też, żeby Christopher żałował rozstania z nim. Szczerze mówiąc podejrzewam, że byli trochę o siebie zazdrośni. Były też inne sprawy. Zresztą Ben i Hester nie rozstali się w najlepszej zgodzie. Nie chcę zaczynać wspólnego życia z Benem od kłótni o Christophera, dlatego wolę mu nic nie mówić. Przynajmniej nie od razu.

— Rozumiem.

Emma westchnęła.

— Jest pan nadąsany. Pewnie pan myśli, że jestem fałszywa.

— O niczym takim nie pomyślałem. A kiedy skończy już pani te rysunki na obrusie, to dostrzeże pani, że podano ostrygi.

Zanim skończyli lunch i kawę, a Robert zapłacił rachunek, było już wpół do drugiej. Wstali, pożegnali się z Marcellem, zabrali wielki czarny parasol i zeszli na dół. Wrócili do Galerii Bernsteina i poprosili portiera, by sprowadził Emmie taksówkę.

— Pojechałbym z panią i wsadził do pociągu, ale Peggy też musi coś zjeść.

— Poradzę sobie.

Zaprowadził ją do gabinetu i otworzył sejf.

— Czy dwadzieścia funtów wystarczy?

Zdążyła zapomnieć, z jakiego powodu tu przyszła.

— Słucham? A tak, oczywiście.

Zaczęła szukać książeczki czekowej, ale Robert powstrzymał ją.

— Proszę się nie przejmować. Pani ojciec trzyma u nas coś w rodzaju kieszonkowego. Zawsze w Londynie kończą mu się drobne. Wpiszemy te dwadzieścia funtów na jego rachunek.

— Jeśli jest pan pewien...

— Oczywiście, że jestem. I Emmo, jest jeszcze jedna sprawa. Ten człowiek, który pożyczył pani funta. Ma gdzieś pani jego adres. Jeśli poda mi go pani zaraz, dopilnuję, żeby dostał tego funta z powrotem.

Emma była rozbawiona. Poszukała wizytówki i znalazła ją w końcu wplątaną między francuski bilet miesięczny i pudełko zapałek. Wybuchnęła śmiechem. Kiedy Robert zapytał, co w tym takiego zabawnego, odparła:

— Jak dobrze zna pan mojego ojca!

# 3

Przestało padać około piątej. Pogoda się poprawiła, a powietrze było wyraźnie odświeżone. Zbłąkany promyk słońca znalazł nawet drogę do galerii. O piątej trzydzieści Robert zamknął biuro i wyszedł włączyć się w strumień pojazdów godziny szczytu. Przekonał się wtedy, że lekki wietrzyk przepędził chmury i pozostawił miasto pod lśniącym, bladym i jasnym niebem.

Nie mógł nawet znieść myśli o tym, by zanurzyć się w podziemną duchotę metra. Dlatego doszedł aż do Knightsbridge i stamtąd dotarł do domu autobusem.

Dom w Milton Gardens był oddzielony od ruchliwej arterii Kensington High Street labiryntem małych uliczek i skwerów, przyjemnych, miniaturowych wczesnowiktoriańskich domków, pomalowanych na kremowo, z jaskrawymi drzwiami i niewielkimi ogródkami, w których latem rozkwitały bzy i magnolie. Ulice miały szerokie chodniki, po których nianie popychały wózki, a małe, dobrze ubrane dzieci chodziły do kosztownych szkół. Miejscowe psy były rygorystycznie pilnowane. Po tym wszystkim Milton Gardens robiło fatalne wrażenie. Był to rząd dużych zaniedbanych domów, a numer dwudziesty trzeci, Roberta — centralny w rzędzie szeregowców i ozdobiony frontonem — zwykle wyglądał na najbardziej zaniedbany. Miał czarne drzwi, dwa wyschnięte drzewa w donicach i mosiężną skrzynkę na listy, którą Helen zawsze zamierzała wypolerować, ale zwykle o tym zapominała. Przy krawężniku stały zaparkowane samochody: duży ciemnozielony alvis coupé Roberta i zakurzony czerwony mini Helen. Marcus nie miał własnego samochodu; jakoś nie znalazł czasu, by nauczyć się prowadzić.

Robert wspiął się po schodach, poszukał w kieszeni kluczy i wszedł do środka. Hol był długi i przestronny, a zaskakująco krótkie i szerokie schody zakręcały na pierwsze piętro. Za schodami wąski korytarz prowadził do szklanych drzwi i ogrodu. Wspaniały widok dalekiej trawy i drzew kasztanowych w słońcu sprawiał chwilowe wrażenie, że człowiek znalazł się na wsi. Był to jeden z najbardziej czarujących aspektów domu.

Frontowe drzwi zatrzasnęły się za nim. Z kuchni rozległ się głos jego siostry:

— Robert?

— Dzień dobry!

Rzucił kapelusz na stolik i wszedł przez drzwi po prawej stronie holu. Za dawnych dni ten pokój z oknami wychodzącymi na ulicę był rodzinną jadalnią. Kiedy zmarł ojciec Roberta, a Marcus, Helen i David wprowadzili się do domu, Helen zamieniła pokój w jadalnię z wnęką kuchenną. Stał tam wiejski stół, sosnowy kredens pełen porcelany i lada, podobna do barowej, przy której mogła pracować. Było też wiele roślin doniczkowych, wybujałe geranium i zioła. Pęki cebuli i kosze na zakupy zwisały na hakach, stały książki kucharskie i stojaki z drewnianymi łyżkami, leżały dywaniki i poduszki o jaskrawych kolorach.

Helen stała teraz za ladą w niebiesko-białym fartuchu i obierała pieczarki. W powietrzu unosił się przyjemny zapach pieczeni, cytryn, rozgrzanego masła i lekki aromat czosnku. Helen była znakomitą kucharką.

— Marcus dzwonił z Edynburga — powiedziała.

— Wraca dziś wieczorem. Wiedziałeś o tym?

— O której?

— Ma samolot piętnaście po piątej. Spróbuje dostać na niego bilet. Powinien wylądować wpół do ósmej.

Robert przyciągnął sobie do lady wysoki stołek i przysiadł na nim jak człowiek przy barze.

— Chciał, żebym wyjechał po niego na lotnisko?

— Nie, złapie autobus. Pomyślałam, że może jedno z nas go odbierze. Wychodzisz na kolację czy zostajesz?

— Pachnie tak ładnie, że chyba zostanę.

Uśmiechnęła się. Kiedy tak stali naprzeciw siebie, wyraźnie widoczne było rodzinne podobieństwo. Helen była wysoką, mocno zbudowaną kobietą, a kiedy się uśmiechała, twarz i oczy rozjaśniały się jak u młodej dziewczyny. Włosy, podobnie jak Robert, miała rudawe, lecz złagodzone pasemkami siwizny. Czesała się w ciasny kok, odsłaniając małe, zaskakująco piękne uszy. Była z nich dumna i zawsze nosiła kolczyki. Miała ich w szufladzie toaletki całe pudełko. Jeśli ktoś nie wiedział, co jej kupić w prezencie, po prostu kupował nową parę kolczyków. Dzisiaj włożyła zielone: jakiś półszlachetny kamień, obramowany wąską złotą nitką. Kolor podkreślał zielone błyski w jej nieokreślonych, cętkowanych oczach.

Helen miała czterdzieści dwa lata, o sześć więcej niż Robert, a od dziesięciu była żoną Marcusa Bernsteina. Przedtem pracowała dla niego jako sekretarka, recepcjonistka, księgowa, a czasami, kiedy finansowo nie stali najlepiej, również jako sprzątaczka. Także dzięki jej wysiłkom i niezachwianej wierze w Marcusa jego galeria nie tylko przetrwała początkowe trudności, ale rozrosła się i uzyskała swoją obecną międzynarodową renomę.

— Czy Marcus mówił ci coś... — zaczął Robert. — Jak mu poszło...?

— Niewiele, nie miał czasu. Ale stary lord Glens ma trzy Raeburny, Constable'a i Turnera. To powinno dać ci do myślenia.

— Chce je sprzedać?

— Najwyraźniej. Twierdzi, że przy obecnej cenie whisky nie stać go, by wisiały na ścianie. Dowiemy się wszystkiego, gdy wróci Marcus. A co u ciebie... co dzisiaj porabiałeś?

— Niewiele. Amerykanin, niejaki Lowell Cheeke przyszedł i wypisał czek za Bena Littona...

— To świetnie...

— I jeszcze... — Obserwował twarz siostry. — Emma Litton wróciła do domu.

Helen, która wróciła do krojenia pieczarek, teraz uniosła głowę i znieruchomiała.

— Emma. To znaczy Emma Bena?

— Przyleciała dziś z Paryża. Przyszła do galerii po jakieś pieniądze, by dojechać do Porthkerris.

— Czy Marcus wiedział, że przyjeżdża?

— Nie, nie sądzę. Nie pisała do niego. Zresztą do nikogo oprócz ojca.

— A Ben oczywiście nie powiedział ani słowa. — Helen westchnęła ciężko. — Czasami mam ochotę go udusić.

Robert był rozbawiony.

— A co byś zrobiła, gdybyś wiedziała, że przylatuje?

— Wyszłabym po nią na lotnisko. Zaprosiłabym na lunch. Cokolwiek.

— Jeśli to cię pocieszy, to ja zaprosiłem ją na lunch.

— To ładnie z twojej strony. — Przecięła kolejnego grzybka. — Jak teraz wygląda?

— Atrakcyjna, choć w dość niezwykły sposób.

— Niezwykły — powtórzyła oschle Helen. — Mówisz, że jest niezwykła, ale to dla mnie żadna nowość.

Robert spróbował kawałek pieczarki.

— Wiesz coś o jej matce?

— Oczywiście.

Helen ocaliła pieczarki, zabierając je z zasięgu rąk brata.

Podeszła do kuchenki, gdzie na patelni topiło się już masło. Szybkim ruchem wrzuciła pieczarki; zaskwierczało przyjemnie i zapachniało smakowicie. Stanęła nad patelnią, mieszając grzyby drewnianą łyżką.

Obserwował zwróconą do niego profilem stanowczą twarz siostry.

— Kim była?

— Studentka plastyki, dwa razy młodsza od Bena. Bardzo ładna.

— Ożenił się z nią?

— Tak, ożenił się. Myślę, że na swój sposób bardzo ją lubił. Ale była jeszcze dzieckiem.

— Porzuciła go?

— Nie, umarła przy porodzie Emmy.

— A więc później ożenił się z kimś o imieniu Hester.

Helen spojrzała na niego mrużąc oczy.

— Skąd się o tym dowiedziałeś?

— Emma powiedziała mi przy lunchu.

— No tak, ja tego nie mówiłam. Hester Ferris. To było lata temu.

— Ale był jeszcze chłopiec. Syn. Christopher.

— Tylko mi nie mów, że znów się pojawił.

— Dlaczego jesteś taka przestraszona?

— Sam byłbyś przestraszony, gdybyś przeżył te osiemnaście miesięcy, kiedy Ben Litton był mężem Hester...

— Opowiedz mi.

— Och, to były mordercze miesiące. Dla Marcusa, dla Bena... przypuszczam, że i dla Hester, a już na pewno dla mnie. Jeżeli nie ściągali Marcusa, żeby rozsądzał jakieś głupie domowe kłótnie, to Hester zasypywała go śmiesznymi drobnymi rachunkami, których podobno Ben nie chciał zapłacić. Poza tym wiesz, że Ben ma fobię na punkcie telefonów, a Hester zainstalowała w domu aparat i Ben wyrwał go z korzeniami. Potem Ben miał jakąś psychiczną blokadę i nie mógł pracować. Całe dnie spędzał w miejscowym pubie, więc Hester łapała Marcusa i mówiła, że musi przyjechać, bo jest jedyną osobą, która może coś poradzić. I tak dalej, i tak dalej. Marcus starzał się w oczach. Możesz w to uwierzyć?

— Owszem. Ale nie rozumiem, jaki to ma związek z chłopcem.

— Chłopiec był jednym z głównych punktów spornych. Ben go nie znosił.

— Emma powiedziała, że był zazdrosny.

— Tak powiedziała? Zawsze była spostrzegawczym dzieckiem. Przypuszczam, że w pewnym sensie Ben był zazdrosny o Christophera, ale też Christopher to istny szatan. Wyglądał jak aniołek, ale matka psuła go niewiarygodnie. — Zdjęła z palnika patelnię. Wróciła i oparła łokcie o ladę. — Emma mówiła coś o Christopherze?

— Tylko to, że spotkali się w Paryżu.

— Co tam robił?

— Nie wiem. Chyba był na wakacjach. Jest aktorem. Wiedziałaś o tym?

— Nie, ale nietrudno w to uwierzyć. Czy wyglądała na oczarowaną?

— Można tak powiedzieć. Chyba że to na myśl o powrocie do ojca.

— To ostatnia rzecz na świecie, która mogłaby oczarować.

— Wiem. Ale kiedy to powiedziałem, myślałem, że mnie zagryzie.

— Nic dziwnego. Są wobec siebie lojalni jak szajka złodziei. — Poklepała go po dłoni. — Nie mieszaj się do tego, Robercie. Nie mogłam wtedy wytrzymać tego napięcia.

— Nie mieszam się. Jestem zaciekawiony.

— Dla twego własnego dobra przyjmij moją radę i tak trzymaj. A jeżeli już jesteśmy przy mieszaniu, to w południe dzwoniła Jane Marshall. Chce, żebyś się z nią skontaktował.

— Nie wiesz przypadkiem, o co jej chodzi?

— Nie mówiła. Tylko że będzie w domu po szóstej. Nie zapomnij, dobrze?

— Nie, nie zapomnę. Ale ty też nie zapominaj, że Jane to nic poważnego.

— Nie mam pojęcia, co ci się w niej nie podoba — stwierdziła Helen, która nigdy, przynajmniej wobec swego brata, nie zważała na słowa. — Jest czarująca, atrakcyjna i zdolna.

Robert powstrzymał się od komentarza, więc poruszona jego milczeniem, mówiła dalej, jakby się usprawiedliwiając.

— Wszystko was łączy: zainteresowania, przyjaciele, sposób życia. Poza tym mężczyzna w twoim wieku powinien być żonaty. Nie ma nic bardziej żałosnego niż starzejący się kawaler.

Urwała. Po chwili milczenia Robert zapytał uprzejmie:

— Skończyłaś już?

Helen westchnęła głęboko. To beznadziejne. Wiedziała, zawsze wiedziała, że żadne słowa nie sprowokują Roberta do działania wbrew jego woli. Nigdy w życiu nie dał się do niczego namówić. Ta przemowa była tylko stratą czasu i już zaczynała jej żałować.

— Tak, skończyłam. I przepraszam. To nie moja sprawa i nie mam prawa się wtrącać. Po prostu lubię Jane i chciałabym, żebyś był szczęśliwy. Sama nie wiem, Robercie. Nie mogę zrozumieć, czego właściwie szukasz.

— Ja też nie wiem — odparł Robert. Uśmiechnął się do siostry, przesunął dłonią po głowie i karku znajomym gestem, oznaczającym, że jest zmęczony albo zakłopotany. — Ale myślę, że ma to jakiś związek z tym, co istnieje pomiędzy tobą i Marcusem.

— Mam tylko nadzieję, że to znajdziesz, nim umrzesz ze starości.

Zostawił ją w kuchni, zabrał kapelusz, popołudniową gazetę, kilka listów i ruszył na górę do swego mieszkania. Salonik, którego okna wychodziły na duży ogród i kasztanowiec, był kiedyś pokojem dziecinnym. Miał niski sufit, wykładzinę na podłogach, półki z książkami na ścianach i tyle mebli po ojcu, ile Robert zdołał wciągnąć na górę. Rzucił kapelusz, gazetę i listy na krzesło, podszedł do antycznego wypukłego kredensu, gdzie trzymał alkohol, i nalał sobie whisky z wodą. Wyjął papierosa z pudełka na stoliku, zapalił i ze szklanką w ręku usiadł za biurkiem. Podniósł słuchawkę i wykręcił numer Jane Marshall.

Nie odebrała od razu. Czekając, mazał coś ołówkiem na bibule. Spojrzał na zegarek i postanowił, że zanim pojedzie po Marcusa, musi się wykąpać i przebrać. Po powrocie, jako znak pokoju dla Helen, zniesie na dół butelkę wina. Cała trójka wypije ją do kolacji, siedząc przy stole w kuchni i jak zwykle rozmawiając o interesach. Czuł się bardzo zmęczony, lecz perspektywa takiego wieczoru poprawiała mu nastrój.

Sygnał w słuchawce urwał się i chłodny głos powiedział:

— Tu Jane Marshall.

Zawsze tak odbierała telefon. Robert uważał, że to nieprzyjemne, lecz znał powód. W wieku dwudziestu sześciu lat Jane, mając za sobą rozbite małżeństwo i rozwód, musiała sama zarabiać na życie. Prowadziła skromną firmę dekoracji wnętrz, której biuro znajdowało się w jej domu. Zatem jeden numer telefonu był jednocześnie prywatny i służbowy. Jane twierdziła, że każdego dzwoniącego musi traktować jak potencjalnego klienta. Wyjaśniła to Robertowi, kiedy skarżył się na te chłodne przyjęcia.

— Nie rozumiesz. To może dzwonić jakiś klient i co sobie pomyśli, gdy będę seksowna i słodziutka?

— Nie musisz mówić seksownie. Wystarczy przyjaźnie i miło. Dlaczego nie spróbujesz? Zobaczysz, ani się obejrzysz, a będziesz mu przestawiać ściany i dobierać dywany albo wykładziny.

— To ty tak myślisz. A bardziej prawdopodobne, że będę musiała się bronić przed klientem igłą do tapicerki.

Teraz odezwał się:

— Jane...

— Och, Robercie. — Jej głos stał się normalny i ciepły. Była wyraźnie ucieszona. — Przepraszam, czy Helen przekazała ci wiadomość ode mnie?

— Powiedziała, że mam do ciebie zadzwonić.

— Tak tylko się zastanawiałam... Posłuchaj, dostałam dwa bilety na balet, na piątek. To „La Fille" Mal Gardée. Pomyślałam, że może byś się wybrał. Chyba że wyjeżdżasz albo masz inne plany.

Spojrzał na swoją rękę. Kreślił na bibule prostopadłościany w idealnym rzucie perspektywicznym. Usłyszał głos Helen:

„Wszystko was łączy: zainteresowania, przyjaciele, sposób życia".

— Robercie?

— Tak. Przepraszam. Nie, nie wyjeżdżam i chętnie się wybiorę.

— Czy przygotować coś na kolację?

— Nie. Pójdziemy gdzieś. Zarezerwuję stolik.

— Cieszę się, że masz wolną chwilę. — Wyczuwał, że się uśmiecha. — Czy Marcus już wrócił?

— Nie. Zaraz po niego wyjeżdżam.

— Przekaż ode mnie ucałowania dla niego i Helen.

— Przekażę.

— Zobaczymy się w piątek. Do widzenia.

— Do widzenia, Jane.

Odłożył słuchawkę, ale nie wstawał zza biurka. Oparł brodę na dłoni i dodał ostatnie pociągnięcia do ostatniego prostopadłościanu. Kiedy skończył, odłożył ołówek, sięgnął po drinka i zastanowił się, dlaczego rysunek kojarzy mu się z długim rzędem walizek.

Marcus Bernstein przeszedł przez szklane drzwi dworca. Wyglądał tak jak zawsze, czyli jak uciekinier lub uliczny grajek. Płaszcz wisiał na nim, staromodny czarny kapelusz wywijał się od przodu, a długa pomarszczona twarz była blada ze zmęczenia. Niósł wypchany neseser, a jego torba dojechała z lotniska w bagażniku autobusu. Kiedy

Robert go znalazł, Marcus czekał cierpliwie przy taśmociągu bagażowym.

Potrafił wyglądać równocześnie uniżenie i zniechęcająco, a przypadkowy przechodzień nie uwierzyłby, że ten skromny, bezpretensjonalny człowiek ma potężne wpływy w świecie sztuki po obu stronach Atlantyku. Był Austriakiem, opuścił rodzinny Wiedeń w 1937 roku i po horrorze wojny rozjaśnił niczym płomień powojenny świat sztuki. Szybko zwrócił na siebie uwagę wiedzą i fachowością, a wspieranie przez Marcusa młodych artystów było przykładem, za którym poszli inni marszandzi. Jednak prawdziwy przełom nastąpił w 1949 roku, kiedy przy Kent Street otworzył własną galerię z wystawą abstrakcyjnych dzieł Bena Littona. Ben, znany ze swych przedwojennych pejzaży i portretów, od pewnego czasu przesuwał się w stronę nowego nurtu. Wystawa z 1949 roku zapoczątkowała przyjaźń, która przeżyła wszystkie osobiste burze i kłótnie. Była też kamieniem milowym, który zakończył początkowy etap działalności Marcusa i rozpoczął długą, chociaż powolną drogę do sukcesu.

— Marcusie!

Drgnął lekko, obejrzał się i dostrzegł Roberta. Był wyraźnie zaskoczony. Nie spodziewał się, że ktoś po niego wyjdzie.

— Cześć, Robercie. To miło, że jesteś.

Po trzydziestu latach w Anglii wciąż miał wyraźny obcy akcent, choć Robert przestał już to zauważać.

— Przyjechałbym na lotnisko, ale nie byliśmy pewni, czy dostaniesz się na samolot. Jak minął lot?

— W Edynburgu padał śnieg.

— Tutaj cały dzień padał deszcz. O, jest twoja walizka. — Zdjął ją z podajnika. — Chodźmy już...

W samochodzie, czekając, aż zmienią się światła przy Cromwell Road, opowiedział Marcusowi o Lowellu Cheeke'u, który wrócił do galerii kupić Littona z jeleniami. Marcus zareagował tylko mruknięciem, jakby od początku wiedział, że ta sprzedaż to jedynie kwestia czasu. Światła zmieniły się z czerwonych na żółte, potem na zielone, wóz ruszył, a Robert dodał:

— Emma Litton wróciła z Paryża. Przyleciała dziś rano. Nie miała funtów, więc zajrzała do galerii, żebyś jej zrealizował czek. Zaprosiłem ją na lunch, dałem dwadzieścia funtów i posłałem w swoją drogę.

— To znaczy dokąd?

— Do Porthkerris. I do Bena.

— Przypuszczam, że jest w domu.

— Ona wierzyła, że jest. Przynajmniej na jakiś czas.

— Biedne dziecko — stwierdził Marcus.

Robert nie zareagował. Dojechali do domu w milczeniu, każdy zajęty własnymi myślami. Przy Milton Gardens Marcus wysiadł z samochodu, wbiegł po schodach, sięgnął po klucze, ale zanim je znalazł, w drzwiach stanęła Helen. Światło z wnętrza wyraźnie oświetliło sylwetkę Marcusa w wyciągniętym płaszczu i błazeńskim kapeluszu.

— Nareszcie — powiedziała Helen. Był niższy od niej, więc pochyliła się, by go objąć.

Wyciągając z bagażnika torby Marcusa, Robert próbował odgadnąć, dlaczego tych dwoje jakoś nigdy nie wygląda śmiesznie.

Emmie zdawało się, że już dawno zapadł zmrok. Kiedy jednak londyński ekspres dotarł do stacji, gdzie miała się przesiąść, i wysiadła z pociągu, przekonała się, że wcale nie jest ciemno. Gwiazdy rozjaśniały niebo i dmuchał wiatr niosący zapach morza. Wyładowała swój bagaż i czekała na peronie, aż odjedzie ekspres. Nad jej głową poszarpane liście palmy szeleściły jakby niezależnie od wiatru.

Pociąg odjechał. Na przeciwległym peronie zobaczyła jedynego bagażowego, spokojnie popychającego wózek pełen paczek. Kiedy ją w końcu dostrzegł, puścił uchwyt i krzyknął do niej ponad torami:

— Pomóc pani?

— Tak, proszę.

Zeskoczył na tory, przeszedł na jej stronę i w jakiś sposób zdołał zebrać w obie ręce cały jej dobytek. Emma podążyła za nim przez tory, a on pomógł jej wejść na peron.

— Gdzie pani jedzie?

— Do Porthkerris.

— Pociągiem?

— Tak.

Krótki pociąg czekał na pojedynczym torze linii biegnącej wzdłuż wybrzeża do Porthkerris. Emma miała wrażenie, że jest jedyną pasażerką. Podziękowała bagażowemu, zapłaciła mu i usiadła. Była wykończona. Jeszcze nigdy dzień nie wydawał jej się tak długi. Po chwili przyłączyła się do niej wiejska kobieta w brązowym kapeluszu podobnym do garnka. Pewnie robiła zakupy, gdyż wiozła wypchaną, kraciastą skórzaną torbę. Mijały minuty i jedynym dźwiękiem był wiatr uderzający w zamknięte okna wagonu. Wreszcie lokomotywa zagwizdała i ruszyli.

Nie mogła powstrzymać emocji na widok wyłaniających się z ciemności znajomych szczegółów krajobrazu. Rozpoznawała je, a potem znikały. Przed Porthkerris były tylko dwa krótkie przystanki. Wreszcie pojawił się stromy podjazd, gdzie wiosną wokół toru rosły pierwiosnki, potem tunel, a w dole ukazało się ciemne jak atrament morze. Trwał odpływ i mokry piasek przypominał satynę. Porthkerris było zbiorowiskiem świateł, jakby zatoka nosiła naszyjnik, a światła kutrów rybackich odbijały się w labiryncie migoczącej czarnozłotej wody.

Zaczęli hamować. Za oknem przesuwał się peron. Przemknęła tablica PORTHKERRIS. Wreszcie pociąg zatrzymał się przy lśniącym metalowym szyldzie reklamującym pastę do butów. Szyld wisiał tam, odkąd tylko Emma pamiętała. Jej towarzyszka, która przez całą podróż nie odezwała się ani słowem, wstała teraz, otworzyła drzwi i spokojnym krokiem wyszła na zewnątrz, znikając w ciemnościach. Emma stała w otwartych drzwiach szukając tragarza, ale jedyny widoczny pracownik kolei stał na drugim końcu pociągu, krzycząc zupełnie niepotrzebnie: „Porthkerris! Porthkerris!" Przystanął, by porozmawiać z maszynistą, zsunął czapkę z czoła i oparł ręce na biodrach.

Pusty wózek stał przy szyldzie reklamy pasty. Załadowała swój bagaż i zostawiła go, zabierając tylko niewielką torbę. Ruszyła wzdłuż peronu. W biurze zawiadowcy paliły się światła, a okna lśniły ciepłą żółtą barwą. Jakiś mężczyzna siedział na ławce i czytał gazetę. Emma przeszła obok niego, a jej krok rozlegał się echem na kamieniach bruku. Kiedy go mijała, odłożył gazetę i wymówił jej imię.

Emma zatrzymała się i odwróciła powoli. Mężczyzna złożył gazetę i wstał, a światło zmieniło jego siwe włosy w aureolę.

— Myślałem, że już nigdy nie przyjedziesz.

— Witaj, Ben — powiedziała Emma.

— Pociąg się spóźnił czy pomyliłem godziny?

— Chyba się nie spóźnił. Może tylko tak późno wyruszyliśmy po przesiadce. Wydawało mi się, że strasznie długo tam stoimy. Skąd wiedziałeś, którym pociągiem przyjadę?

— Dostałem telegram od Bernsteina.

Robert Morrow, pomyślała Emma. Jak miło z jego strony.

Ben spojrzał na jej torbę.

— Nie masz zbyt dużo bagażu.

— Mam cały wózek na drugim końcu peronu.

Obejrzał się w kierunku wskazanym przez Emmę.

— Nieważne. Zabierzemy go innym razem. Chodź, wracamy.

— Ale ktoś może go ukraść — zaprotestowała Emma.

— Albo może padać. Lepiej zawołajmy tragarza.

Tragarz zakończył przyjacielską rozmowę z maszynistą. Ben przywołał go i poinformował:

— Proszę gdzieś schować ten bagaż, dobrze? Zabierzemy go jutro. — I dał mu pięć szylingów.

— Tak, panie Litton — odparł tragarz. — Proszę się nie martwić. Wszystko załatwię. — I odszedł peronem gwiżdżąc i wpychając pieniądze w kieszeń kamizelki.

— No co? — powiedział znowu Ben. — Na co czekamy? Ruszajmy już.

Nie wspomniał o samochodzie czy taksówce. Mieli po prostu dojść piechotą do domu. Dotarli na miejsce plątaniną wąskich uliczek, stromych schodków, maleńkich alejek zawsze prowadzących w dół, i wreszcie wynurzyli się na jasno oświetlonej drodze portowej. Maszerując obok ojca, Emma wciąż ściskała torbę — Benowi nie przyszło do głowy, żeby jej pomóc. Przyglądała mu się z uwagą. Widziała go po raz pierwszy od prawie dwóch lat i pomyślała, że chyba nikt nie zmienił się tak mało jak on. Nie był ani grubszy, ani chudszy, włosy miał śnieżno-białe, odkąd Emma pamiętała, i nie przerzedzały się. Ogorzała po latach pracy w słońcu nad morzem twarz była opalona i poprzecinana siatką delikatnych linii, których nie można by określić słowem tak prozaicznym jak zmarszczki. To po nim Emma odziedziczyła wyraziste kości policzkowe i kwadratowy podbródek. Jednak jasne oczy musiała mieć po matce. Oczy Bena, głęboko osadzone pod krzaczastymi brwiami, były tak ciemno-brązowe, że w pewnym oświetleniu wydawały się czarne.

Nawet jego ubranie chyba się nie zmieniło. Ta wyciągnięta sztruksowa kurtka, wąskie spodnie i bardzo stare zamszowe buty niezwykłej elegancji nie mogły należeć do nikogo innego. Dzisiaj miał bladopomarańczową koszulę, a wzorzysta bawełniana chustka zastępowała krawat. Nigdy nie nosił kamizelki.

Dotarli do jego pubu, Sliding Tackle, i Emma miała nadzieję, że zaproponuje, by wstąpili na drinka. Nie chciało jej się pić, ale była potwornie głodna. Zastanawiała się, czy w domu jest coś do jedzenia. Właściwie nie była pewna, czy w ogóle idą do domu. Było całkiem możliwe, że Ben mieszkał w swojej pracowni i spodziewał się, że Emma tam właśnie z nim zamieszka.

— Nie wiem nawet, dokąd idziemy — odezwała się ostrożnie.

— Do domu, oczywiście. A gdzie myślałaś?

— Sama nie wiem. — Minęli pub. — Myślałam, że może mieszkasz w pracowni.

— Nie. Zatrzymałem się w Sliding Tackle. Pierwszy raz idę do domu.

— A... — mruknęła posępnie Emma.

Pochwycił ton jej głosu i pocieszył natychmiast.

— Nic się nie martw. Kiedy w Sliding Tackle dowiedzieli się, że przyjeżdżasz, zgłosiła się cała delegacja chętnych dam, żeby przygotować dla ciebie miejsce. W rezultacie dopilnowała tego żona Daniela. — Daniel był barmanem. — Myślała chyba, że po tylu latach wszystko porasta zielona pleśń, niby gorgonzolę.

— I porastała?

— Nie, oczywiście, że nie. Trochę pajęczyn, może, ale da się mieszkać.

— To bardzo miło z jej strony... Muszę jej podziękować.

— Tak, ucieszy się.

Brukowana droga wspinała się stromo i oddalała od zatoki. Emmę bolały nogi. Nagle, bez słowa wyjaśnienia, Ben odebrał jej torbę.

— Do diabła, co tam masz w środku?

— Szczoteczkę do zębów.

— Ciężkie jak żelazo. Kiedy wyjechałaś z Paryża?

— Dziś rano. — Miała wrażenie, że minęły lata.

— To skąd Bernstein dowiedział się o tobie?

— Poszłam tam poprosić o parę funtów. Dostałam dwadzieścia z twojego rachunku. Mam nadzieję, że to ci nie przeszkadza.

— To nieważne.

Minęli jego pracownię, zamkniętą i ciemną.

— Zacząłeś już malować? — spytała Emma.

— Oczywiście, że tak. Po to tu wróciłem.

— A twoje prace z Japonii?

— Zostawiłem w Ameryce, na wystawę.

W powietrzu unosił się huk przypływu, odgłos fal załamujących się na szerokiej plaży. Ich plaży. A potem w polu widzenia pojawił się nierówny dach domu oświetlony uliczną latarnią przy niebieskiej bramie. Kiedy się zbliżyli, Ben sięgnął do kieszeni po klucz. Wyprzedził Emmę, minął bramę, otworzył drzwi i wszedł do środka, po drodze zapalając światła. Po krótkiej chwili wszystkie okna jarzyły się blaskiem.

Emma wolno podążała za nim. Natychmiast dostrzegła jasne migotanie ognia na kominku i pedantyczną czystość i porządek stworzone jakoś przez żonę Daniela. Wszystko lśniło wyszorowane, wymyte i wypolerowane, jak jeszcze nigdy w życiu. Poduszki zostały wstrząśnięte i ułożone z geometryczną precyzją. Nie było kwiatów, ale w domu unosił się silny zapach karbolu.

Ben pociągnął nosem i skrzywił się.

— Jak w szpitalu — mruknął.

Odstawił torbę Emmy i zniknął w kuchni. Emma przeszła przez pokój i stanęła przy kominku, grzejąc dłonie nad ogniem. Ostrożnie i powoli zaczynała czuć nadzieję. Bała się, że nie będzie mile widziana. A jednak Ben wyszedł po nią na stację, a w kominku palił się ogień. Żaden człowiek nie mógłby prosić o więcej.

Nad kominkiem wisiał jedyny w pokoju obraz: portret Emmy, namalowany przez Bena, kiedy miała sześć lat. Po raz pierwszy w życiu — i jak się okazało, ostatni — stała się ośrodkiem jego uwagi. I tylko z tego powodu bez skarg zniosła długie godziny nudy, siedzenia bez ruchu, bolących mięśni i jego szaleńczej furii, kiedy tylko się ruszyła. Do portretu nosiła wianek ze stokrotek i codziennie z niezmienną przyjemnością obserwowała zwinne palce Bena, splatające świeży wianek. Potem czekała, aż z powagą założy go jej na głowę, jakby koronował królową.

Wrócił do pokoju.

— To dobra kobieta, ta żona Daniela. Muszę mu to powiedzieć. Prosiłem ją, by zrobiła jakieś zapasy.

— Emma obejrzała się i dostrzegła, że znalazł butelkę Haiga i szklankę. — Przynieś mi wody, dobrze, Emmo? — Jakaś myśl przyszła mu do głowy. — I chyba drugą szklankę, jeśli masz ochotę na drinka.

— Nie chcę pić. Ale jestem głodna.

— Nie wiem, czy zrobiła tego typu zapasy.

— Zajrzę.

Kuchnia także została wyszorowana i wymyta. Emma otworzyła lodówkę i znalazła jajka, bekon, butelkę mleka, a obok w skrzynce leżał chleb. Zdjęła dzbanek z kołka w kredensie, napełniła zimną wodą i zaniosła do salonu. Ben spacerował dookoła, bawił się lampami i próbował znaleźć coś, co mu się nie spodoba. Zawsze nienawidził tego domu.

— Zrobić ci jajecznicę? — zapytała.

— Co? Nie, nic nie chcę. Wiesz, dziwnie się tutaj czuję. Wciąż mam wrażenie, że pojawi się Hester i każe nam robić coś, na co nie mamy ochoty.

Emma pomyślała o Christopherze.

— Biedna Hester — powiedziała.

— Biedne zero. Wścibska baba.

Wróciła do kuchni i znalazła patelnię, miskę, trochę masła. Z salonu wciąż dobiegały odgłosy niespokojnych kroków Bena. Otworzył i zamknął drzwi, zaciągnął zasłonę, kopnął kłodę do kominka. Potem stanął w drzwiach kuchni z papierosem w jednej ręce i szklanką w drugiej. Przyglądał się, jak Emma miesza jajka.

— Dorosłaś, prawda? — powiedział.

— Mam dziewiętnaście lat. Właściwie sama nie wiem, czy jestem dorosła czy nie.

— To zabawne, że nie jesteś już małą dziewczynką.

— Przyzwyczaisz się.

— Tak, chyba tak. Jak długo chcesz tu zostać?

— Powiedzmy, że nie planuję kolejnego wyjazdu.
— Chcesz powiedzieć, że będziesz tu mieszkać?
— Przez jakiś czas.
— Ze mną?

Emma spojrzała na niego przez ramię.

— Czy to będzie dla ciebie nie do zniesienia?
— Nie wiem — odparł Ben. — Nigdy nie próbowałem.

— Właśnie dlatego wróciłam. Pomyślałam, że może czas, żebyś spróbował.

— Nie robisz mi przypadkiem wyrzutów?
— Dlaczego miałabym ci robić wyrzuty?
— Bo cię porzuciłem, wyjechałem uczyć w Teksasie. Nie odwiedziłem cię w Szwajcarii. Nie pozwoliłem ci przyjechać do Japonii.

— Gdybym naprawdę miała ci to za złe, nie wróciłabym.

— A przypuśćmy, że znowu postanowię gdzieś wyjechać.

— A masz taki zamiar?
— Nie. — Spojrzał w swoją szklankę. — Nie teraz. Chwilowo jestem zmęczony. Wróciłem szukać spokoju. — Podniósł głowę. — Ale nie zostanę tu na zawsze.

— Ja też nie zostanę tu na zawsze — odparła Emma. Położyła na talerzu grzankę, na niej jajka, otworzyła szufladę szukając noża i widelca.

Ben przyglądał się temu nieco zaniepokojony.

— Nie będziesz taką porządną małą gospodynią, co? Drugą Hester? Jeśli tak, wyrzucę cię stąd.

— Nie umiałabym być porządną, nawet gdybym się starała. Jeżeli cię to pocieszy, spóźniam się na pociągi, przypalam jedzenie, gubię pieniądze, upuszczam różne rzeczy. Dziś rano, w Paryżu, miałam słomkowy kapelusz, ale zanim dotarłam do Porthkerris, gdzieś mi zniknął. Jak ktokolwiek mógłby zgubić słomkowy kapelusz w tym kraju, w lutym?

Ale Ben nadal nie był przekonany.

— Nie będziesz chciała przez cały czas jeździć dookoła samochodem?

— Nie umiem prowadzić.

— A telewizja, telefony i tego typu śmieci?

— Nie grają dużej roli w moim życiu.

Roześmiał się, a Emma zastanawiała się, czy to wypada, by własny ojciec wydawał jej się taki przystojny.

— Wiesz — powiedział — nie byłem pewien, co z tego wyjdzie. Ale wobec tak sprzyjających okoliczności mogę tylko powiedzieć, że cieszę się, że wróciłaś. Witaj w domu.

Wzniósł szklankę w stronę Emmy, a potem skończył drinka i wrócił do salonu po butelkę, żeby nalać sobie jeszcze jednego.

# 4

Pub Sliding Tackle był nieduży, przytulny, wyłożony czarnym drewnem i bardzo stary. Miał tylko jedno małe okienko wychodzące na zatokę, więc pierwszym wrażeniem gościa, który wchodził z zalanej światłem ulicy, była absolutna ciemność. Później oczy przyzwyczajały się do mroku i dostrzegały inne niezwykłe szczegóły. Przede wszystkim to, że w całym pomieszczeniu nie było ani jednej pary linii równoległych. W ciągu stuleci niewielki pub osiadł na fundamentach jak śpiący w wygodnym łóżku. Rozmaite nieregularności, niczym wzrokowe iluzje, mogły przyprawić potencjalnych klientów o zawrót głowy, zanim jeszcze wypili pierwszego drinka. Wyłożona kamieniami podłoga osiadła w jednej osi, odsłaniając groźną szczelinę pomiędzy kamieniem a listwą. Poczerniała belka, tworząca ramę samego baru, pochyliła się w drugą stronę. Bielony sufit miał tak zabójcze nachylenie, że właściciel musiał przyczepić tabliczki z napisem „Uwaga, belka" i „Uwaga na głowę".

Przez lata Sliding Tackle uparcie pozostawał sobą. Umiejscowiony w starej, niemodnej dzielnicy Porthkerris, tuż nad zatoką, nie miał miejsca na tarasy ani herbaciane ogródki. Zdołał też jakoś oprzeć się fali letnich turystów, która zalała resztę miasta. Miał stałych klientów, którzy przychodzili się napić i pogadać swobodnie albo pograć. Wisiała tu tablica do strzałek, a w małym poczerniałym palenisku latem i zimą zawsze płonął ogień. Był tu barman, Daniel, i zezowaty Fred z twarzą jak rzepa. Latem zatrudniał się przy sprzątaniu plaży i w wypożyczalni leżaków, a przez resztę roku radośnie przepijał zarobki.

Był tu też Ben Litton.

— To sprawa priorytetów — powiedział Marcus, gdy wraz z Robertem ruszyli alvisem na poszukiwanie Littona. Pogoda była tak piękna, że Robert odsunął dach. Marcus do swego tradycyjnego czarnego płaszcza włożył podobną do grzyba tweedową czapkę, która wyglądała, jakby została kupiona dla kogoś innego. — Priorytety i czas. W niedzielne południe przede wszystkim należy szukać w Sliding Tackle. Jeśli go tam nie ma, w co bardzo wątpię, pojedziemy do pracowni. Potem możemy go szukać w domu.

— A może w taki piękny ranek po prostu wyszedł na spacer?

— Nie sądzę. To jego czas alkoholowy, a w tej sprawie zawsze przestrzega swoich zwyczajów.

Był marzec i jakimś dziwnym trafem zdarzył się niewiarygodnie cudowny dzień. Na niebie nie było widać ani jednej chmurki. Fale, na ukos wpychane w krzywiznę zatoki przez ostry północno-zachodni wiatr, kryły morze pasami we wszystkich odcieniach błękitu, od ciemnego indygo do bladego turkusu. Ze szczytu wzgórza widok sięgał w nieskończoność. Dalekie przylądki rozpływały się w mgiełce kojarzącej się z żarem lata. A poniżej, przy krętej drodze, miasteczko opadało stromo w labiryncie wąskich alejek, czystych bielonych domków i krzywych dachów otaczających zatokę.

Co roku, w ciągu trzech miesięcy lata, Porthkerris zmieniało się w małe piekło na ziemi. Zbyt wąskie ulice były zatarasowane samochodami, po chodnikach przelewały się tłumy na wpół ubranych ludzi, sklepy zasypane były pocztówkami, słomkowymi kapeluszami, sandałami, siatkami na małże, deskami surfingowymi i dmuchanymi materacami. Na szerokiej plaży wyrastały namioty i przebieralnie, otwierały się kawiarnie z tarasami pełnymi małych, okrągłych żelaznych stolików przebitych parasolami. Pomarańczowe proporczyki powiewały na wietrze reklamując batoniki, mrożone przysmaki i inne horrory. Jeśli komuś to nie wystarczało, były też kornwalijskie paszteciki oraz ciastka i zapiekanki z rozmokłymi szarymi ziemniakami.

Przy Whitsun ożywał salon gier z elektrycznymi bilardami i grającą szafą. Być może kolejna grupka starych, ale malowniczych domków padnie pod buldożerami, aby zrobić miejsce na następny parking, a mieszkańcy, ludzie, którzy kochają miasto, i artyści staną się przerażonymi świadkami tego gwałtu. Będą powtarzać: „To gorsze niż kiedykolwiek. To ruina. Nie zostaniemy tu ani chwili dłużej".

Ale każdej jesieni, kiedy ostatni pociąg wywoził ostatniego najeźdźcę z obłażącym nosem, Porthkerris w niezwykły sposób powracało do normalnego rytmu. Sklepy zamykały okiennice, znikały namioty, zimowe sztormy czyściły plaże. Jedyne chorągiewki, jakie pozostawały, to pranie na sznurach przeciągniętych od domu do domu niczym pastelowa gala flagowa albo rybackie sieci rozciągnięte do suszenia wysoko na murawie.

Właśnie wtedy, kiedy powracała dawna magia, łatwiej było zrozumieć, dlaczego taki człowiek jak Ben Litton wraca tu raz po raz niczym gołąb pocztowy.

I dlaczego, szukając odpoczynku i bezpieczeństwa znajomych okolic, raz jeszcze wpada w malarską obsesję barwy i światła.

Sliding Tackle znajdował się na drugim końcu drogi nad zatoką. Robert zaparkował przed krzywym gankiem i zgasił silnik. Było ciepło i spokojnie. Trwał odpływ, w zatoce widział czysty piasek, wodorosty i krzyczące mewy. Zwabione słońcem dzieci bawiły się wiaderkami i łopatkami pod okiem dwóch bab zajętych robotą na drutach. Starsze panie były w fartuszkach i siatkach na włosy, a chudy czarny kot siedział na bruku i czyścił sobie uszy.

Marcus wysiadł z samochodu.

— Sprawdzę, czy tam jest. Zaczekaj tu.

Robert wyjął papierosa, zapalił i obserwował kota. Szyld pubu nad jego głową skrzypiał na wietrze. Nadleciała mewa, usiadła na szyldzie i spoglądała na Roberta ze złośliwym, hałaśliwym wyzwaniem. Drogą nadeszli dwaj mężczyźni powolnym, godnym krokiem metodysty w niedzielę. Mieli na sobie granatowe swetry i białe czapki.

— Dzień dobry — powiedzieli mijając Roberta.

— Piękny dziś dzień — odparł.

— Tak, piękny.

Po chwili pojawił się Marcus.

— W porządku, znalazłem go.

— A co z Emmą?

— Mówi, że jest w pracowni. Maluje ściany.

— Mam ją przywieźć?

— Gdybyś zechciał. Teraz jest... — zerknął na zegarek — piętnaście po dwunastej. Powiedzmy, że wrócisz o pierwszej. Powiedziałem, że o wpół do drugiej zjemy lunch.

— W porządku. Przejdę się. Nie warto ruszać wozu.

— Pamiętasz drogę?

— Oczywiście.

Był już w Porthkerris dwa razy — poszukiwał Bena Littona, kiedy Marcus nie mógł sam tego załatwić. Fobie Bena na punkcie telefonów, samochodów i wszelkich form komunikacji od czasu do czasu powodowały straszne kłopoty. Marcus już dawno pogodził się z faktem, że szybciej jest przyjechać z Londynu do Kornwalii i dopaść lwa w jego jaskini, niż czekać na odpowiedź na najbardziej nawet naglący telegram z opłaconą odpowiedzią.

Robert wysiadł z samochodu i zatrzasnął drzwi.

— Mam jej powiedzieć o co chodzi, czy zostawić tobie to przyjemne zadanie?

Marcus uśmiechnął się.

— Ty jej powiedz.

Robert zdjął ciasną tweedową czapkę i rzucił na siedzenie kierowcy.

— Ty draniu — powiedział przyjaźnie.

Jakiś tydzień po wizycie Emmy w Londynie dostał od niej list.

*Drogi Robercie.*

*Jeśli Marcusa nazywam Marcusem, nie mogę Ciebie nazywać panem Morrow, prawda? Nie, oczywiście, że nie. Powinnam napisać od razu, żeby Ci podziękować za lunch, pieniądze i za powiadomienie Bena, że jadę tym pociągiem. Wyszedł po mnie na stację. Wszystko idzie świetnie. Jak dotąd nie pokłóciliśmy się ani razu, a Ben pracuje jak szatan przy czterech sztalugach równocześnie.*

*Nie zgubiłam nic z bagażu, z wyjątkiem kapelusza, ale jestem pewna, że ktoś mi go ukradł.*

*Ucałowania dla Marcusa. I dla Ciebie.*

*Emma.*

Teraz szedł przez zadziwiający labirynt wąskich uliczek i blisko stojących domów, prowadzący na północny kraniec miasta. Była tam inna plaża, naga i nie osłonięta, ceniona z powodu nadpływających prosto z Atlantyku długich fal doskonałych do surfingu. Na tę plażę wychodziły okna pracowni Bena Littona. Kiedyś, dawno temu, był to skład sieci. Jedyne wejście prowadziło po kamiennym zjeździe opadającym z ulicy aż do podwójnych wysmołowanych drzwi. Tkwiła w nich tabliczka z imieniem Bena i wielka żelazna kołatka. Robert chwycił ją, uderzył i zawołał:

— Emmo!

Nikt nie odpowiadał. Otworzył drzwi i niemal natychmiast wyrwał mu je z dłoni poryw wiatru, który niby strumień wody wlewał się przez otwarte okno pracowni. Drzwi zatrzasnęły się za nim i przeciąg ustał. Pracownia była pusta i zimna. Ani śladu Emmy, chociaż drabinka, pędzel i wiadro wyraźnie mówiły, czym się ostatnio zajmowała. Skończyła jedną ścianę, a kiedy podszedł i dotknął jej ręką, przekonał się, że wciąż jest zimna i wilgotna.

Ze środka tej ściany sterczał brzydki staromodny piecyk, teraz pusty i zimny. Obok stał palnik gazowy, powgniatany czajnik i pomarańczowe pudełko, w którym stały niebiesko-białe pasiaste kubki i słoik kostek cukru. Po drugiej stronie pokoju, na pulpicie roboczym Bena, leżały papiery, szkice, tubki farby, setki ołówków i pędzli na arkuszach karbowanej tektury. Ścianę nad pulpitem pokrywała pociemniała farba, zasmarowana ścinkami niezliczonych palet, które przez lata utworzyły wapienną skorupę koloru. Tuż nad pulpitem wisiała wąska półka, a na niej zbiór najrozmaitszych ciekawostek, które z takich czy innych powodów zwróciły uwagę Bena: kamień z brzegu morza, skamieniała rozgwiazda, niebieski wazon suszonej trawy, pocztówka z reprodukcją Picassa, kawałek znalezionego na brzegu drewna, które morze i wiatr zmieniły w abstrakcyjną rzeźbę. Były też fotografie: wachlarz starych zdjęć, umieszczony w starym srebrnym stojaku na serwetki, a także zaproszenie na prywatną wystawę, która odbyła się sześć lat temu, i w końcu staromodna lornetka.

Na poziomie podłogi o ściany opierały się płótna, a pośrodku, na sztalugach, leżały aktualne prace, przykryte wyblakłą różową szmatką. Obok piecyka stała zapadnięta sofa otoczona czymś, co przypominało resztki arabskiego dywanu. Był też stary stół kuchenny z obciętymi nogami, a na nim puszka papierosów, przepełniona popielniczka i stos magazynów „Studio", a także misa z zielonego szkła wypełniona malowanymi porcelanowymi jajkami.

Północna ściana była cała przeszklona. Wąskie drewniane ramy zaprojektowano tak, by dolna część mogła się odsunąć na bok. Wzdłuż tej ściany stała długa ława z poduszkami, a pod nią dalszy ciąg kolekcji różnych śmieci: dulki z łodzi, deski surfingowe, skrzynka pustych butelek, a pośrodku, pod otwartym oknem, dwa żelazne haki wkręcone w podłogę. Ktoś zaczepił o nie końce sznurowej drabinki. Znikała za oknem, a gdy Robert wyjrzał, stwierdził, że opada wprost na piasek sześć metrów poniżej.

Plaża wydawała się pusta. Przypływ pozostawiał za sobą twardy czysty piasek, oddzielony od nieba wąską linią białej piany fal. Dalej w stronę brzegu ścieliła się warstwa skał oblepiona skorupiakami i wodorostami, a nad nią szybowały mewy, od czasu do czasu walczące ze sobą o jakąś zdobycz. Robert usiadł przy oknie i zapalił papierosa. Kiedy znów uniósł głowę, na horyzoncie, na samym brzegu morza, pojawiła się jakaś postać. Miała na sobie długą, białą, jakby arabską szatę. Postać zbliżyła się i wtedy dostrzegł, że walczy z wielkim czerwonym pakunkiem.

Przypomniał sobie lornetkę na stole Bena. Pobiegł po nią. Kiedy zogniskował obraz, postać zmieniła się w płaskorzeźbę i okazała się Emmą Litton. Wiatr rozwiewał jej długie włosy. Ubrana w wielki biały płaszcz kąpielowy, z pewnym wysiłkiem ciągnęła wciąż porywaną przez wiatr szkarłatną deskę surfingową.

— Chyba nie pływałaś?

Walcząca z deską Emma nie zauważyła go w oknie. Teraz, z jedną ręką na sznurowej drabince, niemal podskoczyła na dźwięk jego głosu. Uniosła głowę, ryjąc deską po piasku, a wiatr rozwiewał jej mokre, czarne włosy.

— Owszem, pływałam. Ależ mnie przestraszyłeś. Długo tu jesteś?

— Od dziesięciu minut. Jak wciągniesz tę deskę po drabince?

— Właśnie się nad tym zastanawiałam. Ale skoro się pojawiłeś, wszelkie problemy są rozwiązane. Pod sofą jest lina. Rzuć mi koniec. Przywiążę ją, a ty wciągniesz na górę.

Robert posłusznie wypełnił polecenie. Wciągnął deskę przez otwarte okno, a tuż za nią pojawiła się sama Emma. Twarz, dłonie i stopy miała oblepione suchym piaskiem, a czarne rzęsy skleiły się tak, że przypominały ramiona rozgwiazdy. Uklękła na ławce i roześmiała się.

— Ależ miałam szczęście. Co bym zrobiła bez ciebie? Ledwo przeciągnęłam ją przez plażę, a co dopiero mówić o drabince.

Pod piaskiem twarz miała siną z zimna.

— Zamknijmy okno — zaproponował. — Można zamarznąć na tym wietrze. Jak mogłaś pływać w taką pogodę? Dostaniesz zapalenia płuc.

— Nie dostanę.

Zeskoczyła na podłogę i obserwowała, jak zwija drabinkę i zamyka okno. Nie było szczelne i zimny przeciąg wciąż przeszywał niczym ostrze noża.

— Jestem przyzwyczajona. Jako dzieci zawsze pływaliśmy w kwietniu.

— To nie kwiecień, tylko marzec. Jeszcze zima. Co by powiedział twój ojciec?

— Nic by nie powiedział. Taki wspaniały dzień, a ja miałam już dość tego bielenia. Widziałeś tę idealnie czystą ścianę? Jedyny problem w tym, że przez kontrast cała reszta pracowni wygląda jak śmietnik. Poza tym nie pływałam, tylko surfowałam i przy tych falach było mi całkiem ciepło. — Po czym dodała, właściwie nie zmieniając tonu: — Przyjechałeś zobaczyć się z Benem? Siedzi w Sliding Tackle.

— Tak, wiem.

— Skąd wiesz?

— Ponieważ zostawiłem z nim Marcusa.

— Marcusa? — Uniosła ciemne brwi i zastanowiła się. — Więc Marcus też przyjechał. Boże, to musi być coś ważnego!

Zadrżała lekko.

— Włóż coś na siebie — poprosił Robert.

— Nic mi nie będzie. — Wzięła ze stołu papierosa, zapaliła, a potem padła na starą sofę, opierając nogi na poręczy.

— Dostałeś mój list?

— Tak.

Ponieważ Emma zajęła całą sofę, mógł usiąść tylko na stole. Zsunął na podłogę stos magazynów i usiadł.

— Przykro mi z powodu twojego kapelusza.

Emma roześmiała się.

— Ale jesteś zadowolony z powodu Bena?

— Oczywiście.

— To zadziwiające, jak wszystko dobrze się ułożyło. Nie do wiary. I naprawdę lubi moje towarzystwo.

— Nawet przez chwilę nie sądziłem, że będzie inaczej.

— Nie bądź taki uprzejmy. Wiem, że się obawiałeś. W czasie lunchu byłeś sceptyczny i marszczyłeś brwi. Ale zrozum, to idealny układ. Ben nie musi mi płacić za sprzątanie ani pamiętać o takich nudnych szczegółach, jak wolne dni czy ubezpieczenia, nie musi się angażować emocjonalnie. Nawet nie przypuszczał, że życie może być takie proste.

— Miałaś jakieś wiadomości od Christophera?

Emma spojrzała na niego z ukosa.

— A skąd wiesz o Christopherze?

— Sama mi powiedziałaś. U Marcella. Pamiętasz?

— A, rzeczywiście. Nie, nie miałam wiadomości. Ale pewnie jest już w Brookford i bez przerwy ma próby. Brak mu czasu na pisanie listów. Wszystko jedno. I tak miałam mnóstwo roboty, by zorganizować dom, gotowanie i inne rzeczy. Nie wierz ludziom, którzy twierdzą, że artyści nie jedzą. Ten mężczyzna w środku Bena jest nienasycony.

— Powiedziałaś mu, że spotkałaś się znowu z Christopherem?

— Wielkie nieba, skąd! Żeby zniszczyć spokojny rytm naszego życia? Nie wspomniałam nawet jego imienia. A wiesz, że wyglądasz o wiele lepiej w tym tweedowym ubraniu niż wtedy w Londynie. Kiedy cię po raz pierwszy zobaczyłam, od razu pomyślałam, że nie jesteś z rodzaju tych, co to chodzą przez cały dzień w zapiętym, ciemnoszarym garniturze. Kiedy tu dotarliście?

— Przyjechaliśmy wczoraj po południu. Noc spędziliśmy w Castle Hotel.

Emma skrzywiła się.

— Razem z tymi palmami w doniczkach i kaszmirowymi zasłonami. Fuj!

— Jest tam bardzo wygodnie.

— Od centralnego ogrzewania dostaję kataru siennego. Nie mogę nawet oddychać.

W przepełnionej popielniczce zgasiła wypalonego do połowy papierosa, usiadła na sofie, potem wstała i podeszła do okna. Po drodze rozwiązała pasek płaszcza kąpielowego. Wyjęła spod poduszki stos rzeczy i stojąc plecami do Roberta zaczęła się ubierać.

— Dlaczego ty i Marcus przyjechaliście razem? — zapytała.

— Ponieważ Marcus nie umie prowadzić.

— Są pociągi. Zresztą nie o to mi chodziło.

— Wiem. — Wziął jedno z malowanych jaj i zaczął się nim bawić. — Przyjechaliśmy namówić Bena, żeby wrócił do Stanów.

Nagle dmuchnął wiatr. Jak fala wlał się pod okienną szybą do pracowni; mruczał i ryczał ponad dachem z hukiem przejeżdżającego pociągu. Kilka mew zerwało się z krzykiem ze skał. Wiatr rozrzucił je po niebie, a potem nagle ucichł.

— Dlaczego musi wrócić? — spytała.

— Chodzi o tę retrospektywną wystawę.

Zrzuciła płaszcz kąpielowy, stanęła w dżinsach i wciągnęła przez głowę granatowy sweter.

— Myślałam, że wszystko załatwili, kiedy w styczniu byli z Marcusem w Nowym Jorku.

— My też tak myśleliśmy. Ale widzisz, tę wystawę sponsoruje osoba prywatna.

— Wiem — odparła. Odwróciła się i wysunęła ciemne włosy spod golfu. — Czytałam o tym w „Réalités". Pani Kennethowa Ryan. Wdowa po jakimś bogatym człowieku, którego pomnikiem jest Muzeum Sztuk Pięknych w Queenstown. Widzisz, jak dobrze jestem poinformowana. Mam nadzieję, że zrobiłam na tobie wrażenie.

— I pani Kennethowa Ryan chce zorganizować prywatną wystawę.

— To dlaczego o tym nie uprzedziła?

— Bo nie było jej w Nowym Jorku. Opalała się w Nassau, na Bahamach czy w Palm Beach. Nie spotkali się. Rozmawiali tylko z kustoszem muzeum.

— A teraz pani Ryan postanowiła, że Ben Litton wróci, a ona wyda skromne przyjęcie z szampanem i będzie go pokazywać wszystkim swoim wpływowym przyjaciołom niczym trofeum. Niedobrze mi się robi.

— Ona nie ograniczyła się do postanowienia, Emmo. Przyjechała, żeby go przekonać.

— To znaczy, że przyjechała do Anglii.

— Przyjechała do Anglii, przyjechała do Bernsteina, przyjechała do Porthkerris. Przywieźliśmy ją wczoraj z Marcusem, i w tej chwili siedzi w barze w Castle Hotel. Pije bardzo zimne martini i czeka, aż przyjdziemy zjeść z nią lunch.

— Ale ja na przykład nie pójdę.

— Musisz. Czekają na nas. I robi się późno. Pospiesz się.

— Czy Ben wie o tym prywatnym pokazie?

— Teraz już wie. Marcus z pewnością mu powiedział.

Podniosła z podłogi brązową płócienną bluzę i zarzuciła ją na sweter.

— Może Ben nie będzie chciał jechać?

— Czy to znaczy, że nie chcesz, żeby jechał?

— Chcę powiedzieć, że przyzwyczaił się do życia tutaj. Nie włóczy się, nie jest niespokojny, nawet nie pije zbyt dużo. Pracuje niczym młodzian, a to, co robi, jest świeże, nowe i lepsze niż kiedykolwiek. Zdajesz sobie sprawę, że Ben ma już sześćdziesiątkę. Patrząc na niego, trudno w to uwierzyć. Możliwe, że takie wędrówki po świecie już go nie pociągają, tylko męczą.

— Usiadła na sofie, patrząc Robertowi w twarz. — Proszę, jeśli nie będzie chciał jechać, nie próbujcie go przekonywać.

Robert wciąż trzymał w dłoni porcelanowe jajko. Przyglądał mu się w skupieniu, jakby zwoje błękitu i zieleni mogły w cudowny sposób zapewnić rozwiązanie każdego problemu. A potem ostrożnie odłożył je pomiędzy inne do szklanej misy.

— Mówisz, jakby wracał do Stanów, żeby znowu uczyć i zostać tam przez lata — powiedział. — Ale to nieprawda. To tylko jedno przyjęcie. Może wrócić po paru dniach. — Otworzyła usta, jakby chciała zaprotestować, ale nie dopuścił jej do głosu. — I nie zapominaj, że ta wystawa to wielki hołd dla Bena. Włożono w nią dużo pieniędzy i dużo wysiłku. Może przynajmniej mógłby...

Emma przerwała mu z wściekłością.

— Może przynajmniej tam pojechać i paradować w kółko jak małpa na łańcuchu, dla przyjemności jakiejś grubej starej Amerykanki. A najgorsze jest to, że on lubi takie rzeczy. Tego właśnie nienawidzę: że to lubi.

— A więc lubi. Dlatego jeśli zechce jechać, to pojedzie.

Umilkła. Siedziała ze spuszczonymi oczami i ustami zaciśniętymi jak dziecko. Robert dopalił papierosa, zgasił go i wstał.

— Teraz chodź, bo się spóźnimy — dodał łagodniej. — Masz jakiś płaszcz?

— Nie.

— To może buty. Musisz mieć jakieś buty.

Poszukała pod sofą i znalazła parę rzemiennych sandałków. Wstała, wsuwając w nie bose stopy. Skórę wciąż miała pokrytą piaskiem, a płócienną bluzę pochlapaną białą farbą.

— Nie mogę tak iść do Castle na lunch — powiedziała.

— Bzdura. — Starał się dodać jej odwagi. — Dostarczysz gościom tematu do rozmów. Rozjaśnisz ich nudne życie.

— Nie wystarczy nam czasu, by zajrzeć do domu? Nie mam nawet grzebienia.

— W hotelu znajdziesz grzebień.

— Ale...

— Naprawdę nie mamy czasu. I tak jesteśmy spóźnieni. Chodźmy już...

Wyszli razem z pracowni, zeszli rampą na zalaną słońcem ulicę, a potem dalej w stronę portu. Po chłodzie pracowni powietrze wydawało się ciepłe. Jasne słońce odbijało się od bielonych ścian domów i raziło oczy śnieżnym blaskiem.

## 5

Emma nie chciała wchodzić do Sliding Tackle.

— Zaczekam. Idź sam i wyciągnij ich stamtąd.

— Dobrze.

Gdy wchodził po schodkach, zauważyła, że w drzwiach musiał schylić głowę. Drzwi pubu zamknęły się za nim. Podeszła do samochodu i obejrzała go z zaciekawieniem. Ponieważ należał do niego, powinien dostarczyć wskazówek co do charakteru właściciela, podobnie jak półka z książkami czy obrazy, które mężczyzna wiesza na ścianie. Wóz jednak, poza tym, że był ciemnozielony, miał światła przeciwmgielne, koła ze szprychami i kilka nalepek klubów automobilowych, niewiele zdradzał. Wewnątrz na siedzeniu kierowcy leżała tweedowa czapka z daszkiem, na desce rozdzielczej papierosy i atlas, a na tylnym siedzeniu równo złożony gruby pled w szkocką kratę. Stwierdziła, że Robert ufa ludziom albo jest nieostrożny, albo ma szczęście, gdyż pledu nikt nie ukradł.

Wiatr dmuchnął od morza i Emma zadrżała. Po kąpieli i pobycie w pełnej przeciągów pracowni wciąż było jej bardzo zimno. Dłonie miała zupełnie zdrętwiałe: były białe, a paznokcie przybrały siny odcień. Blacha samochodu była ciepła, więc z rozkoszą ułożyła się na masce, rozkładając ręce niczym rozgwiazda.

Otworzyły się drzwi pubu i wyszedł Robert Morrow, znów czujnie pochylając głowę. Był sam.

— Nie ma ich?

— Nie. Spóźniliśmy się. Mieli już dość czekania i ktoś ich podwiózł do hotelu. — Otworzył drzwi po stronie kierowcy, wziął czapkę, włożył na głowę i naciągnął prawie na nos, dodając kolejny ostry kąt do swego wspaniałego profilu. — Chodźmy... — Pochylił się i otworzył jej drzwi.

Emma odkleiła się od maski i wsunęła na siedzenie obok niego.

Zatoka pozostała w tyle i na dole. Z rykiem pędzili przez miasto po stromych wąskich uliczkach, między rzędami wypielęgnowanych domków z ogródkami, gdzie smutne palmy kiwały głowami w podmuchach obcego wiatru. Wjechali na główną drogę, wciąż pod górę, skręcili na podjazd Castle Hotel, i jeszcze wyżej między rzędami hortensji i pochylonych w stronę lądu świerków. Wreszcie dotarli na sam szczyt wzgórza, na otwartą przestrzeń kortów tenisowych, trawników i miniaturowego pola golfowego. Hotel był niegdyś wiejską rezydencją i szczycił się swoim oryginalnym otoczeniem. Białe, połączone łańcuchami słupki nie dopuszczały samochodów na żwirowy plac przed budynkiem, gdzie na leżakach wypoczywała garstka zahartowanych gości. W szalach i rękawiczkach, owinięci w koce jak pasażerowie transatlantyku, czytali książki i gazety. Kiedy alvis podjechał z rykiem i zahamował zgrzytając oponami na żwirze, książki i gazety opadły, a kilkoro gości zdjęło okulary. Obserwowali czujnie kroki Roberta i Emmy, jakby byli przybyszami z innej planety.

— Jesteśmy tu chyba pierwszym ciekawym wydarzeniem od dnia, kiedy kierownik wpadł do basenu — zauważył Robert.

Minęli obrotowe drzwi, a ciepło hotelowego wnętrza uderzyło niczym z otwartego piekarnika. Emma nie zważała zwykle na takie luksusy, lecz dziś powitała je z radością.

— Pewnie są w barze — powiedziała. — Idź tam. Przyjdę za chwilę. Muszę się pozbyć tego piasku.

W toalecie umyła ręce i twarz, starła piasek ze stóp o nogawki dżinsów, jak uczeń, który próbuje wypolerować buty. Na toaletce stał dość pretensjonalny zestaw karbowanych szczotek i grzebieni. Jednym z nich zaatakowała potargane włosy. Wyłamała połowę zębów, ale zmieniła splątaną masę w jakieś podobieństwo porządku. W lustrze na ścianie dostrzegła swoje odbicie: bez makijażu, ubrana w wytarte, poplamione farbą dżinsy. Zdjęła zabrudzoną bluzę i zezłościła się na siebie, że przeszkadzają jej rzeczy tak trywialne jak własny wygląd. Pomyślą pewnie, że jest jakąś awangardową studentką sztuki lub modelką. Jak słusznie zauważył Robert Morrow, przynajmniej będą mieli o czym mówić.

Kiedy wyszła z toalety i ruszyła długim, wyłożonym dywanami holem, z radością przekonała się, że Robert jej nie porzucił, nie dołączył do pozostałych, jak mu proponowała. Czekał przy recepcji; czytał niedzielną gazetę, którą ktoś pozostawił na fotelu. Gdy ją zauważył, złożył gazetę i rzucił na siedzenie. Uśmiechnął się zachęcająco.

— Świetnie sobie poradziłaś — stwierdził.

— Zrujnowałam hotelowy grzebień. Był bardzo ładny, z kompletu. Nie musiałeś czekać. Byłam tu kiedyś i znam drogę...

— Więc chodźmy.

Była już za piętnaście druga i niedzielna pora lunchu dobiegła końca. Tylko kilku pijaków wciąż siedziało przy barze. Ściskali swoje szklanki z dżinem i tonikiem i zaczynali się lekko czerwienić. Ben Litton, Marcus Bernstein i pani Kennethowa Ryan zajęli miejsca po drugiej stronie sali, we wnęce utworzonej przez wielkie okno. Pani Ryan siedziała na tle szyby, a widok za nią przypominał plakat biura podróży: płaszczyzna błękitnego morza, rozległe niebo, zielone pagórki pola do minigolfa. Obaj mężczyźni, Ben we francuskim roboczym kombinezonie i Marcus w ciemnym garniturze, rozmawiali zwróceni lekko w jej stronę. Dlatego to pani Ryan pierwsza zauważyła Emmę i Roberta.

— Spójrzcie, kto przyszedł... — powiedziała.

Obejrzeli się. Ben pozostał na miejscu, lecz Marcus wstał i z wyciągniętymi ramionami ruszył powitać Emmę. Demonstracyjnie i szczerze, ale bardzo nie po brytyjsku okazywał radość, że ją widzi. W pewnych sytuacjach był żenująco austriacki.

— Emmo, skarbie, przyszłaś wreszcie. — Oparł dłonie na jej ramionach i ucałował uroczyście w oba policzki. — Cieszę się, że widzę cię znowu. Ile to już lat? Pięć? Sześć? Tyle mamy do omówienia. Chodź, poznasz panią Ryan. — Wziął ją za rękę i poprowadził do stołu. — Ależ masz lodowate dłonie. Co robiłaś?

— Nic takiego — odparła Emma i zerknęła na Roberta prowokująco, by spróbował powiedzieć coś więcej.

— W dodatku boso... Jak możesz to wytrzymać? Pani Ryan, to jest córka Bena, Emma. Niech pani nie podaje jej ręki, jeśli nie chce pani umrzeć z zimna.

— Znam gorsze sposoby śmierci — odparła pani Ryan i wyciągnęła rękę. — Witam panią.

Uścisnęły sobie dłonie.

— Rzeczywiście bardzo pani zmarzła.

Jakiś szalony impuls natchnął Emmę, by to wyjaśnić.

— Pływałam. Dlatego się spóźniliśmy i dlatego jestem nieodpowiednio ubrana. Nie miałam czasu, żeby się przebrać.

— Ależ wygląda pani czarująco. Proszę usiąść... Mamy jeszcze czas na drinka, prawda? Nie zamkną przecież restauracji. Robercie, bądź miły i zamów dla nas wszystkich. Czego się pani napije, Emmo?

— Ja... Właściwie nie mam na nic ochoty. — Ben chrząknął lekko. — No... może kieliszek sherry.

— A my wszyscy pijemy martini. Robercie, wypijesz także?

Emma zajęła miejsce na krześle opuszczonym przez Marcusa. Czuła na sobie wzrok ojca, siedzącego po drugiej stronie stolika.

— Nie mogę wprost uwierzyć — stwierdziła pani Ryan — że naprawdę pani pływała.

— Właściwie nie. Weszłam i wyszłam z wody. Były za duże fale.

— Ale czy się pani nie przeziębi? To z pewnością niezdrowe. — Zerknęła na Bena. — Chyba pan nie pochwala pływania przy takiej temperaturze? Czy nie ma pan żadnego wpływu na córkę?

Głos miała wesoły i żartobliwy. Ben coś odpowiedział, a ona tłumaczyła mu dalej, twierdząc, że powinien się wstydzić... że z pewnością jest okropnym ojcem...

Emma nie słuchała. Pochłonęła ją obserwacja, pani Ryan bowiem nie była wcale stara ani gruba, lecz młoda, piękna i bardzo atrakcyjna. Od czubków pantofli aż do szczytu gładko uczesanych złotych włosów nie było w niej ani jednego szczegółu, który nie sprawiałby patrzącemu przyjemności. Oczy miała wielkie i fiołkowe, usta pełne i ładnie wykrojone, a kiedy się uśmiechała, tak jak teraz, odsłaniała dwa rzędy idealnie równych białych amerykańskich zębów. Nosiła elegancką garsonkę z różowego tweedu, ozdobioną białym rypsem na kołnierzyku i mankietach. Diamenty błyszczały w jej uszach i na wypielęgnowanych dłoniach. Nie było w niej nic wulgarnego, nic krzykliwego. Nawet pachniała kwiatami.

— ...Jeżeli nie mieszkała z panem przez sześć lat, to tym bardziej powinien się pan nią zaopiekować.

— To nie ja się nią opiekuję, lecz ona mną...

— Oto prawdziwy mężczyzna... — Jej delikatny południowy akcent sprawił, że słowa brzmiały jak pieszczota.

Emma spojrzała na ojca. Zachowywał się zwyczajnie: skrzyżował nogi, prawy łokieć trzymał na kolanie, opierał brodę na kciuku, a w palcach trzymał papierosa. Smużka dymu unosiła się przed jego głęboko osadzonymi oczami, ciemnymi niczym czarna kawa. Wpatrywał się w panią Ryan, jakby była nowym fascynującym okazem, uwięzionym między szkiełkami mikroskopu.

— Emmo, twoje sherry.

Wrócił Marcus. Z ulgą oderwała wzrok od Bena i pani Ryan.

— Och, dziękuję.

Usiadł obok.

— Robert mówił ci o tej prywatnej wystawie?

— Tak.

— Czy jesteś na nas zła?

— Nie. — To była prawda. Nie mogła się gniewać na tak szczerego człowieka, który natychmiast przechodził do sedna.

— Nie chcesz jednak, żeby jechał?

— Czy Robert tak powiedział?

— Nie, tego nie mówił, lecz znam cię dobrze. I wiem, jak długo czekałaś, żeby być z Benem. Ale wyjedzie na krótko.

— Tak. — Zerknęła na swój kieliszek. — Więc naprawdę wyjeżdża?

— Tak, naprawdę, ale dopiero pod koniec miesiąca.

— Rozumiem.

— Gdybyś chciała z nim jechać... — zaproponował delikatnie.

— Nie. Nie chcę wyjeżdżać do Ameryki.

— Nie przeszkadza ci, że zostaniesz sama?

— To drobiazg. W dodatku, jak wspomniałeś, to nie potrwa długo.

— Może przyjedziesz do Londynu i pomieszkasz z Helen i ze mną? Dostałabyś pokój Davida.

— A gdzie będzie spał David?

— To smutne, ale wyjechał do szkoły z internatem. Złamał mi serce. Niestety, teraz jestem Anglikiem, więc odebrano mi syna, kiedy skończył osiem lat. Pojedź ze mną. W Londynie jest sporo do obejrzenia. W Tate Gallery mają nową wystawę, istne arcydzieło...

Wbrew sobie Emma zaczęła się uśmiechać.

— Z czego się śmiejesz, nieznośne dziecko?

— Śmieję się, bo jesteś bezwstydny. Jedną ręką odbierasz mi ojca, a drugą podsuwasz Tate Gallery. A ponadto — dodała ściszając głos — nikt mnie nie uprzedził, że pani Kennethowa Ryan była królową piękności południowej Wirginii.

— Nie wiedzieliśmy o tym — odparł Marcus. — Nigdy wcześniej jej nie widziałem. Przyleciała do Anglii pod wpływem impulsu, wkroczyła do Galerii Bernsteina przedwczoraj i oświadczyła, że chce się widzieć z Benem Littonem. Wtedy po raz pierwszy zobaczyłem ją na własne oczy.

— No, szczerze mówiąc jest na co popatrzeć.

— O tak — zgodził się Marcus. Skierował na panią Ryan szelmowskie spojrzenie i zerknął na Bena. Potem zajrzał do kieliszka martini i musnął palcem plasterek cytryny. — Tak — powtórzył.

Ich spóźnione przybycie do jadalni wzbudziło nieco zamieszania. Zarezerwowano dla nich najlepszy okrągły stolik przy oknie, więc teraz musieli przejść przez całą salę. Prowadziła pani Ryan, świadoma podziwu wszystkich gości i najwyraźniej do tego przyzwyczajona. Za nią szedł Marcus, niedbały, lecz dystyngowany i bardzo interesujący. Potem Robert i Emma, a w końcu Ben. Ben został z tyłu, by zgasić papierosa i w związku z tym miał wejście w stylu gwiazdy filmowej. Zatrzymał się na chwilę w drzwiach, by porozmawiać z kierownikiem sali, tak że zanim ruszył dalej, stał się ośrodkiem powszechnej uwagi.

„Ben Litton... To jest Ben Litton", rozlegały się szepty między stolikami, gdy szedł wspaniały w swych niebieskich ogrodniczkach i z biało-czerwoną chustą zawiązaną pod szyją. Siwe włosy, gęste jak u młodzika, niesfornie opadały mu na czoło.

„Ben Litton... no wiesz, ten malarz".

To było podniecające. Wszyscy wiedzieli, że Ben Litton ma pracownię w Porthkerris, ale gdyby ktoś naprawdę chciał go zobaczyć, musiałby zejść na dół do miasta i znaleźć rybacki pub zwany Sliding Tackle. Potem powinien siedzieć tam w dusznym półmroku i możliwie długo sącząc kufel ciepłego piwa, czekać, aż przyjdzie. Przypominało to raczej dziwną formę obserwacji ptaków.

Ale dzisiaj Ben Litton porzucił swe zwykłe siedlisko i był tutaj, w Castle Hotel. Miał zjeść zwykły niedzielny lunch, jak zwykła ludzka istota. Góra przyszła do Mahometa. Jakaś starsza dama przyglądała mu się otwarcie przez *lorgnette*, a turysta z Teksasu głośno narzekał, że zostawił w pokoju swój aparat.

Emma pochwyciła wzrok Roberta i z trudem powstrzymała śmiech.

Ben dotarł w końcu do stołu, usiadł na honorowym miejscu, po prawicy pani Ryan, wziął menu i zasugerował, unosząc po prostu palec, by podano mu kartę win. Podniecenie w jadalni stopniowo opadło; było jednak jasne, że przez cały posiłek ta grupka będzie przyciągać uwagę pozostałych gości.

— Wiem, że należałoby go skarcić — powiedziała Emma do Roberta. — Powinien się wstydzić tak bezczelnego ekshibicjonizmu, ale jakoś za każdym razem mu to uchodzi.

— Przynajmniej cię rozśmieszył. Nie wyglądasz już na tak zdenerwowaną.

— Mogłeś mnie uprzedzić, że pani Ryan jest młoda i piękna.

— Z pewnością jest piękna, ale nie sądzę, by była tak młoda, jak wygląda. Raczej dobrze zakonserwowana.

— Takie złośliwe uwagi czynią zwykle kobiety.

— Przepraszam. Miałem najlepsze chęci.

— Mimo wszystko powinieneś mnie uprzedzić.

— Nie pytałaś.

— Nie, ale mówiłam coś na temat tłustych, starych Amerykanek i nawet wtedy mnie nie poprawiłeś.

— Może nie zdawałem sobie sprawy, że to dla ciebie takie ważne.

— Piękna kobieta z Benem Littonem, i nie wiedziałeś, że to takie ważne? To coś więcej: to zabójcza kombinacja. Jedno jest pewne: ani ty, ani Marcus nie będziecie musieli go przekonywać. Ben poleci do Ameryki. Wystarczy jeden ruch tych rzęs, a już będzie nad Atlantykiem.

— Wydaje mi się, że jesteś trochę niesprawiedliwa. Najdłuższe rzęsy na świecie nie pchnęłyby go do czegoś, na co nie ma ochoty.

— Nie, ale nie mógłby się oprzeć wyzwaniu — odparła lodowatym tonem.

— Emmo — powiedział Robert.

Spojrzała na niego.

— Co?

— Demonstrujesz niechęć. — Pokazał szczelinę między kciukiem a palcem wskazującym. — Odrobinę.

— No... tak... — Wolała zmienić temat. — Kiedy wracasz do Londynu?

— Dziś po południu. — Spojrzał na zegarek. — Jesteśmy trochę spóźnieni. Musimy wyjechać, jak tylko zdołam odciągnąć stąd Małą Panią Milion.

Pani Ryan jednak nie pozwalała się popędzać. Lunch składał się z czterech dań, wina, brandy i kawy podanej już w pustej jadalni — wszystko dlatego, że nie chciała odejść od stołu.

W końcu Robert chrząknął, wykorzystując przerwę w rozmowie.

— Marcusie — powiedział. — Nie chciałbym przerywać, ale naprawdę musimy już ruszać. Przed nami prawie pięćset kilometrów jazdy.

Pani Ryan wydawała się zdumiona.

— A któraż to godzina?

— Prawie czwarta.

Zaśmiała się.

— To zupełnie jak w Hiszpanii. Poszłam kiedyś na lunch w Hiszpanii i wstaliśmy od stołu dopiero o wpół do ósmej wieczorem. Dlaczego czas płynie tak szybko, gdy człowiek dobrze się bawi?

— Przyczyna i skutek — mruknął Ben.

Uśmiechnęła się do Roberta.

— Nie chce pan chyba odjeżdżać natychmiast, prawda?

— No cóż... jak najszybciej.

— Chciałabym jeszcze obejrzeć pracownię. Nie po to przecież przeleciałam przez Atlantyk, a potem taki kawał do Porthkerris, żeby nie zobaczyć pracowni Bena Littona. Nie moglibyśmy zajrzeć tam choćby na chwilę, w drodze powrotnej?

Ta rzucona mimochodem sugestia została przyjęta milczeniem. Robert i Marcus zmieszali się lekko: Robert dlatego, że nie chciał marnować czasu, a Marcus, bo wiedział, iż Ben najbardziej nienawidzi pokazywania swojej pracowni. Emma też poczuła, że serce podchodzi jej do gardła. W pracowni panował chaos: nie chaos Bena, który się nie liczył, ale jej własny. Pomyślała o drabinie, o wiadrze z farbą, o mokrym płaszczu kąpielowym, kostiumie, który rzuciła na podłogę, o przepełnionych popielniczkach, wytartej sofie i piasku na podłodze. Spojrzała na Bena, błagając wzrokiem, by odmówił. Wszyscy patrzyli na Bena, czekając niczym marionetki, w którą stronę pociągnie za sznurek.

Ben przynajmniej raz ich nie zawiódł.

— Droga pani Ryan, chociaż z przyjemnością pokazałbym pani swoją pracownię, chciałbym jednak zauważyć, że nie leży ona przy drodze do Londynu.

Teraz wszyscy spojrzeli na nią, ciekawi jak to przyjmie. Ale wydęła tylko wargi, więc zaśmiali się z ulgą, a pani Ryan także roześmiała się z wdziękiem.

— W porządku. Potrafię znieść porażkę. — Wzięła torebkę i rękawiczki. — Jest jeszcze jedna sprawa. Wszyscy byliście dla mnie tacy mili i nie chcę czuć się między wami jak ktoś obcy. Mam na imię Melissa. Czy moglibyście tak mnie nazywać?

Później, kiedy mężczyźni pakowali rzeczy do samochodu, dopadła Emmę sam na sam.

— Byłaś bardzo miła — powiedziała. — Marcus mówił, że wróciłaś z Paryża, by zamieszkać z ojcem, a ja zjawiłam się tutaj nagle, żeby go zabrać.

Emma, która wiedziała, że wcale nie zachowywała się tak miło, poczuła wyrzuty sumienia.

— Wystawa jest ważniejsza.

— Zaopiekuję się nim — obiecała Melissa Ryan.

Tak, pomyślała Emma, to na pewno. A jednak wbrew sobie polubiła tę Amerykankę. Było coś takiego w jej podbródku, w szczerym spojrzeniu ciemnoniebieskich oczu, że Emma zastanawiała się, czy tym razem Ben będzie zadowolony ze swego przewidywalnego łatwego zwycięstwa. Jeśli od samego początku nie wszystko będzie szło po jego myśli, zapewne straci zainteresowanie.

Uśmiechnęła się do pani Ryan.

— Mam nadzieję, że wkrótce wróci do domu — powiedziała.

Podniosła leżące na oparciu krzesła futro z norek i podała je pani Ryan.

Razem wyszły z hotelu. Ochłodziło się; słońce nie grzało już na niebie i chłód niczym mgła unosił się znad morza. Robert zamknął dach alvisa, a Melissa opatulona w norki pożegnała się z Benem.

— To nie jest *adieu* — powiedział, trzymając ją za rękę i spoglądając znacząco. — To *au revoir*.

— Oczywiście. Daj mi znać, kiedy twój samolot będzie na lotnisku Kennedy'ego. Dopilnuję, by ktoś po ciebie wyszedł.

— Ja to załatwię — powiedział Marcus. — Jeszcze nigdy za ludzkiej pamięci Ben nikogo o niczym nie zawiadomił. A już na pewno o swoim przyjeździe. Do zobaczenia, Emmo, mój skarbie. Nie zapominaj, że masz zaproszenie do nas na tak długo, jak zechcesz, póki Ben będzie w Ameryce.

— Dziękuję, Marcusie. Nigdy nie wiadomo. Mogę się zjawić.

Ucałowali się. Marcus zajął miejsce z tyłu, a Melissa Ryan usiadła obok kierowcy, owijając kocem zgrabne nogi. Ben zatrzasnął drzwi, a potem pochylił się do otwartego okna, by dokończyć rozmowę.

— Emmo. — To był Robert.

Obejrzała się.

— A... Do widzenia, Robercie.

Ku jej zdziwieniu zdjął czapkę i pochylił się, by ją ucałować.

— Na pewno wszystko w porządku?

Była wzruszona.

— Tak, oczywiście.

— Gdybyś czegoś potrzebowała, zadzwoń do mnie, do Bernsteina.

— Czego mogłabym chcieć?

— Nie wiem. Tak tylko pomyślałem. Do zobaczenia, Emmo.

Zostali sami, ona i Ben, patrząc jak samochód znika w tunelu drzew. Przez chwilę milczeli. Wreszcie Ben odchrząknął.

— Jakąż interesującą głowę ma ten młody człowiek — oświadczył z powagą, jakby wygłaszał wykład. — Wąska czaszka i wyraźne kości twarzy. Chciałbym zobaczyć go z brodą. Nadawałby się na świętego, a może na grzesznika. Lubisz go, Emmo?

Wzruszyła ramionami.

— Chyba tak. Prawie go nie znam.

Odwrócił się i zauważył małą grupkę hotelowych gości, którzy wychodząc na spacer albo wracając z golfa, a może szukając jakiejkolwiek rozrywki, stali tu obserwując wyjazd Melissy. Kiedy Ben przeszył ich swym mrocznym spojrzeniem, poczuli się niezręcznie i rozeszli szybko, jakby przyłapani na czymś nagannym.

Pokręcił w zdumieniu głową.

— Myślę — powiedział — że mam już dość tego gapienia się na mnie, jakbym był dwugłowym szympansem. Chodź, wracamy do domu.

# 6

Ben Litton wyruszył do Ameryki pod koniec marca. Z Porthkerris do Londynu przebył koleją, a z Londynu do Nowego Jorku boeingiem. W ostatniej chwili postanowił z nim lecieć Marcus. Wieczorne gazety zamieściły fotografie sceny pożegnania: Bena z grzywą siwych włosów rozwianych wiatrem i Marcusa niemal przesłoniętego czarnym kapeluszem. Obaj wyglądali na nieco skrępowanych.

To od Marcusa dostała Emma pocztą lotniczą plik amerykańskich gazet, w których wszyscy uznani krytycy sztuki zamieścili swoje komentarze. Jednogłośnie chwalili pomysł Muzeum Sztuk Pięknych w Queenstown, budynek jako piękny przykład sztuki architektonicznej, oświetlenie i zebrane eksponaty. Nikt nie pominął wystawy Bena Littona. Nigdy więcej dzieła tego artysty nie będą dostępne publiczności w pełni, a dwa lub trzy przedwojenne portrety, wypożyczone przez prywatnych właścicieli, same w sobie warte były odwiedzenia muzeum. Choćby po to, by się przekonać, że jeden człowiek może być malarzem, psychiatrą i rozgrzeszającym kapłanem jednocześnie.

„Ben Litton używa pędzla jak chirurg skalpela. Najpierw odsłania ukryte choroby, a potem leczy je z niezwykłym współczuciem".

Słowo „współczucie" zostało wykorzystane jeszcze raz w opisie jego wojennych obrazów, ludzi w schronach, strażaków, i kilku szkiców ocalonych z okresu inwazji aliantów na Włochy. O jego powojennych dziełach pisano: „Inni malarze dokonują abstrakcji z natury. Ben Litton dokonuje abstrakcji z wyobraźni, i to wyobraźni tak żywej, że aż trudno uwierzyć, by te obrazy nie były dziełem człowieka o połowę młodszego".

Emma przeczytała to wszystko i pozwoliła sobie na odrobinę dumy. Otwarcie prywatnej wystawy odbyło się trzeciego kwietnia, a dziesiątego wciąż jeszcze nie było słychać o powrocie Bena. Emma szukała zajęcia w czasochłonnych pracach domowych. W końcu przeniosła się do pracowni, by skończyć malowanie. Nie wymagało to szczególnej koncentracji. Jej umysł wędrował bezcelowo w przyszłość, zajęty marzeniami, na które jeszcze miesiąc temu nigdy by sobie nie pozwoliła. Lecz teraz naprawdę czuła, że wszystko się zmieniło. Kiedy poszła na stację odprowadzić Bena na pociąg do Londynu, pocałował ją na do widzenia. Z roztargnieniem oczywiście, jakby na chwilę zapomniał, kim jest, ale mimo to pocałował, a to było kamieniem milowym w ich stosunkach. Kiedy w końcu oderwie się od zachwytów amerykańskiej publiczności i wróci do Porthkerris... Emma widziała oczyma wyobraźni, jak wychodzi po niego na stację: chłodna i opanowana niczym idealna sekretarka. Może następnym razem, gdy wyruszy do jakiegoś dalekiego, ale barwnego zakątka globu, zabierze ją ze sobą. Będzie wtedy rezerwować loty, dopilnuje, żeby się nie spóźniał, poinformuje Marcusa o ich podróżach.

I wtedy, dzień czy dwa później, nadszedł list od Marcusa nadany w Londynie. Otworzyła go z nadzieją, że znajdzie tam wiadomość o powrocie Bena. Tymczasem Marcus pisał, że wrócił sam, a Ben pozostał jeszcze w Queenstown.

*Muzeum imienia Ryana jest fascynujące. Gdybym mógł, sam chętnie bym tam został. Obejmuje wszystkie formy sztuki, ma niewielki teatr, salę koncertową i kolekcję rosyjskiej biżuterii, którą trzeba zobaczyć, by w nią uwierzyć. Samo miasteczko jest czarujące. Pełno tam ceglanych domów w stylu Jerzego I, otoczonych trawnikami i osłoniętych krzewami. Wszystkie wyglądają tak, jakby stały tam od czasów Williama i Mary, ale tak naprawdę sam widziałem, jak budują jeden z nich. Trawa leżała już w rolkach, a krzewy sadzili w ziemi od razu dojrzałe. Oto co znaczy, gdy masz ciepły i umiarkowany klimat.*

*Redlands (posiadłość Ryanów) to wielki biały dom z werandą otoczoną kolumnami. Ben siada tam na leżaku, a czarny lokaj Henry przynosi mu drinki z miętą. Henry przyjeżdża codziennie do pracy liliowym chevroletem. Ma nadzieję, że w niezbyt dalekiej przyszłości zostanie prawnikiem. To bystry młody człowiek. Powinien zrealizować swoje ambicje. Są też dwa korty tenisowe, padok pełen ognistych rumaków i oczywiście basen. Ben, jak się pewnie domyślasz, nie jeździ konno ani nie gra w tenisa, ale kiedy nie dodaje lokalnej kolorystyki do swojej retrospektywnej wystawy, spędza długie godziny pływając w basenie na gumowym materacu. Przykro mi, że tak długo jest z dala od Ciebie, ale naprawdę uważam, że przyda mu się odpoczynek. Pracował ciężko przez ostatnie lata i odrobina relaksu na pewno mu nie zaszkodzi. Jeśli czujesz się samotna, nasze zaproszenie jest nadal aktualne. Przyjedź i zamieszkaj z nami. Będziemy szczęśliwi, goszcząc Cię u siebie.*

*Zawsze kochający Marcus.*

Malowanie było skończone, podłoga w pracowni wyszorowana, obrazy Bena ustawione i zapakowane. Pióra i pędzle ułożone według grubości, a rozmaite, użyte tylko raz próbki stwardniałej farby dyskretnie trafiły do kosza.

Nie miała nic więcej do roboty.

Nie było go już od dwóch tygodni, kiedy przyszła kartka od Christophera. Emma siedziała w kuchni, przygotowywała kawę i wyciskała sok z pomarańczy. Miała jeszcze na sobie nocną koszulę, a włosy ściągnięte w koński ogon, gdy listonosz — rumiany młody człowiek w koszuli z rozpiętym kołnierzykiem — wsunął głowę za drzwi i powiedział:

— Jak się mamy dziś rano, moja piękna?

— Doskonale, dziękuję — odparła Emma. Odkąd wróciła z Paryża, musiała znosić tę poufałość.

Rzucił jej pakiet listów.

— Wszystkie dla twojego staruszka, ale tu jest kartka dla ciebie. — Zanim Emma zdążyła mu wyrwać pocztówkę, dokładnie obejrzał zdjęcie. — Jakież to wulgarne. Nie wiem, jak przyzwoici ludzie mogą to kupować.

— Nie, nie rozumie pan — odparła niegrzecznie Emma.

Nie patrząc na damę w obcisłym bikini, odwróciła kartkę, by sprawdzić nadawcę. Stempel był z Brookford.

*Emmo, skarbie, kiedy do mnie przyjedziesz? Nie mogę Cię odwiedzić, bo mamy roboty po uszy przy próbach sztuki „W samą porę". Zadzwoń do Brookford pod numer 678, najlepiej około dziesiątej rano, zanim zaczniemy pra-*

*cę. Producent to miły facet, reżyser wredny, wszystkie dziewczyny piegowate i nie tak ładne jak Ty. Całusy, całusy, całusy. Christo.*

Najbliższa budka telefoniczna była prawie dwa kilometry od domu, więc Emma wyszła na ulicę do małego sklepiku, gdzie kupowała papierosy, puszki z jedzeniem i płatki mydlane. Tam skorzystała z telefonu.

Był to staromodny aparat w dwóch oddzielnych częściach i z dźwignią, którą trzeba było kilkakrotnie nacisnąć, by odezwała się centrala. Usiadła na skrzynce piwa i czekała na połączenie. Szaro-biała kotka, miękka jak poduszka, podeszła i położyła się na jej kolanach. Sądząc po głosie, słuchawkę podniosła jakaś zirytowana kobieta.

— Teatr w Brookford.

— Czy mogę rozmawiać z Christopherem Ferrisem?

— Nie wiem, czy już przyszedł.

— A czy mogłaby pani sprawdzić?

— Och, chyba tak. A kto mówi?

— Proszę mu powiedzieć, że dzwoni Emma.

Kobieta odeszła. W słuchawce rozległy się głosy. Jakiś mężczyzna krzyczał z daleka: „Tutaj, mówiłem, durniu jeden, nie tam!” Potem czyjeś kroki i wreszcie głos Christa.

— Emmo.

— Więc jesteś. Nie wiedzieli, czy już przyszedłeś.

— Oczywiście, że jestem... mam próbę za pięć minut. Dostałaś moją kartkę?

— Dziś rano.

— Czy Ben ją czytał? — Miał chyba nadzieję, że tak.

— Bena nie ma. Wyjechał do Ameryki. Myślałam, że wiesz.

— Skąd miałem wiedzieć?

— Było we wszystkich gazetach.

— Aktorzy nie czytają gazet, a jak już, to tylko „Scenę". Ale jeśli staruszek jest w Ameryce, to dlaczego nie dałaś mi znać i nie przyjechałaś do mnie?

— Są setki powodów.

— Wymień dwa.

— Zamierzał wrócić najdalej za tydzień, a ja nawet nie wiedziałam, gdzie jesteś.

— Mówiłem ci przecież, że w Brookford.

— Nie wiem, gdzie leży Brookford.

— Trzydzieści pięć minut od Londynu. Pociąg odjeżdża co pół godziny. Słuchaj, przyjedź. Przyjedź i zostań. Przenieśli mnie do jakiegoś ponurego mieszkania w suterenie. Cuchnie suchym próchnem i starymi kotami, ale jest bardzo przytulne.

— Christo, nie mogę. Muszę być tutaj. Ben może wrócić lada dzień i...

— Mówiłaś mu o naszym spotkaniu?

— Nie.

— Dlaczego?

— Jakoś nie pojawił się taki temat.

— Chcesz powiedzieć, że się bałaś?

— Nic podobnego. To było po prostu... nieistotne.

— Nikt jeszcze nie nazwał mnie nieistotnym i nie uszedł z życiem. Och, przyjedź, kurczaczku. Moja mała suterena potrzebuje kobiecej ręki. Wiesz, szorowanie i cała reszta.

— Nie mogę przyjechać, dopóki nie wróci Ben. Potem spróbuję.

— Wtedy może być już za późno. Każę wysprzątać. Proszę. Załatwię ci darmowy bilet na premierę. Albo dwa bilety, możesz przyjść z koleżanką. Albo trzy, i możesz przyprowadzić je wszystkie.

W jego głosie zabrzmiał śmiech. Christo zawsze śmiał się z własnych żartów.

— Bardzo zabawne — stwierdziła Emma, ale także się śmiała.

— Udajesz trudną do zdobycia. Nie chciałaś zostać ze mną w Paryżu, nie chcesz przyjechać i dbać o mój dom na pustkowiach Surrey. Co muszę zrobić, by zdobyć twoje serce?

— Zdobyłeś je już przed laty i od tego czasu należy do ciebie. Szczerze mówiąc tęsknię za tobą, ale nie mogę przyjechać. Nie mogę się ruszyć, dopóki nie wróci Ben.

Christo zaklął.

Telefon zaczął buczeć.

— Trudno. Daj znać, gdy się zdecydujesz. Na razie.

— Do widzenia, Christo — odparła, ale on już się rozłączył.

Z niemądrym uśmiechem na twarzy odwiesiła słuchawkę, myśląc o wszystkim, co powiedział. Kotka na jej kolanach mruczała donośnie i Emma zrozumiała, że wkrótce pojawią się kocięta. Do sklepu wszedł starszy mężczyzna i kupił pięć deka tytoniu. Kiedy wyszedł, Emma podniosła kotkę, położyła ją delikatnie na podłodze i poszukała w kieszeni drobnych, żeby zapłacić za telefon.

— Kiedy będzie miała kocięta? — spytała.

Gertie, stara kobieta za ladą, nosiła w domu i na ulicy olbrzymi brązowy beret naciągnięty po same brwi.

— Kto to wie, kochana. — Wrzuciła pieniądze Emmy do kasy, której rolę pełniło blaszane pudełko, i wydała resztę. — Kto to wie.

— Dziękuję, że pozwoliła mi pani skorzystać z telefonu.

— Nie ma za co — powiedziała Gertie, która zawsze bezwstydnie podsłuchiwała i przekazywała każde usłyszane słowo.

W marcu pogoda była jak w lecie. Teraz, w maju, było zimno jak w listopadzie i lał deszcz. On nigdy nie malował Porthkerris w deszczu; zawsze przedstawiał je w jasnych błękitach lata z białymi skrzydłami mew i jachtów, wszystko w oślepiającym blasku słońca. Ale teraz krople wody, niesione ostrym wschodnim wiatrem, uderzały o szyby hotelu niczym drobne kamyki. Ulewa bębniła o okna, szumiała za drzwiami i w kominach; zimne i nieustępliwe porywy wiatru wydymały zasłony.

Była sobota. Robert właśnie się obudził, spojrzał na zegarek, stwierdził, że jest za pięć trzecia i sięgnął po papierosa. Zapalił i leżał, obserwując ołowiane niebo za oknem. Czekał, aż zadzwoni telefon.

Odezwał się dokładnie o trzeciej. Podniósł słuchawkę.

— Trzecia, proszę pana — oświadczył portier.

— Dziękuję bardzo.

— Na pewno się pan obudził?

— Tak, wszystko w porządku.

Skończył papierosa, zgasił, wstał, wyciągnął biały frotowy szlafrok i ruszył do łazienki, by wziąć gorący prysznic. Nienawidził spania po południu, nienawidził uczucia mrowienia w zębach i tego, że za chwilę zacznie go boleć głowa. Jednak po tej jeździe z Londynu musiał się przespać. Zjadł wczesny obiad i poprosił portiera, żeby go obudził, ale wiatr rozbudził go wcześniej.

Ubrał się, włożył czystą koszulę, zawiązał krawat, zdjął z wieszaka marynarkę, potem zmienił zdanie i zamiast tego wciągnął sweter. Uczesał włosy, wsunął do kieszeni drobiazgi z nocnej szafki, z haczyka w drzwiach zdjął płaszcz przeciwdeszczowy i zszedł na dół.

W holu panowała przytłaczająca cisza popołudnia. Starsi goście drzemali, pochrapując lekko w suchym, ogrzewanym powietrzu. Rozczarowani gracze w golfa patrzyli na deszcz, pobrzękiwali drobnymi w kieszeniach i zastanawiali się, czy może pogoda poprawi się na tyle, by przed wieczorem zaliczyć jeszcze chociaż dziewięć dołków.

Portier odebrał od Roberta klucz i powiesił na haku.

— Wychodzi pan?

— Tak. Mógłby mi pan pomóc? Chcę trafić do Galerii Stowarzyszenia Artystów. Słyszałem, że to w starej przerobionej kaplicy. Czy wie pan może, gdzie to jest?

— W nadbrzeżnej części miasta. Orientuje się pan trochę, prawda?

— Znam Sliding Tackle — wyjaśnił Robert, a portier uśmiechnął się. Lubił ludzi, którzy wykorzystywali puby jako punkty orientacyjne.

— No więc... powiedzmy, że pojedzie pan do Sliding Tackle, ale skręci w górę od portu. To wąska droga, bardzo stroma i kończy się takim placykiem. Galeria jest po drugiej stronie. Musi pan zauważyć. Wiszą tam takie wielkie plakaty... nie wiem, jak mogą się komuś podobać...

— No cóż... zobaczymy. Dziękuję panu bardzo.

— Drobiazg.

Portier pchnął obrotowe drzwi i Robert wypadł na dokuczliwe zimno. Deszcz padał mu na odkrytą głowę. Przygarbił się, otulił płaszczem i ruszył po żwirze, unikając największych kałuż. Wnętrze samochodu pachniało wilgocią i pleśnią, obcy aromat tłumił zwykły zapach skóry i papierosów. Uruchomił silnik i włączył ogrzewa-

nie. Zeschły liść utknął w wycieraczce, ale zaraz wiatr
oderwał go od wilgotnej szyby.

Zjechał w dół. Wszędzie było pusto. Mieszkańcy za-
barykadowali się w domach przed pogodą. Jedynie prze-
moknięty policjant stał na posterunku u stóp wzgórza,
a jakaś starsza pani walczyła z parasolką. Wąskie uliczki
działały na wiatr niczym kominy: nabierał w nich pręd-
kości i był zimny, przenikliwy jak strumień wody. Kiedy
Robert dotarł do drogi portowej, zobaczył, że trwa przypływ, a zatoka jest szara, pomarszczona, rozfalowana,
w cętki białych grzywaczy.

Znalazł uliczkę, którą opisał mu portier. Prowadziła
w górę między ciasno stojącymi domkami. Bruk był mokry i lśnił jak łuski świeżo złowionej ryby. Droga docie-
rała na szczyt, na malowniczy skwer, gdzie znalazł niski
posępny budynek, zupełnie nie pasujący do plakatu przy
drzwiach.

Stowarzyszenie Artystów Porthkerris
Wystawa Wiosenna
Wstęp — 5 szylingów

Poniżej widniał dziwny purpurowy motyw, jakby
wytrzeszczone oko i sześciopalczasta ręka. Robert uznał,
że rozumie punkt widzenia portiera.

Zaparkował samochód, wszedł po ociekających wodą
stopniach i poczuł zapach piecyka olejowego. Wnętrze
kaplicy było pobielone, a ściany aż do wysokich okien
dosłownie zakryte obrazami wszelkiego rodzaju i roz-
miaru.

Tuż za drzwiami, okryta pledem, siedziała starsza pani
w filcowym kapeluszu, przy drewnianym stoliku z kata-
logami i miseczką na pieniądze. Po drugiej stronie stał

piecyk, przy którym usiłowała rozgrzać fioletowe z zimna dłonie.

— Proszę zamknąć drzwi — zawołała, kiedy Robert wpadł do środka niesiony porywem wiatru. Oparł się mocno o drzwi, zamknął je i sięgnął do kieszeni po dwie półkoronówki. — Ależ pogoda — mówiła dalej. — I to ma być lato. Jest pan dziś pierwszym gościem. Jest pan gościem, prawda? Nie widziałam pana w okolicy.

— Nie, nigdy tu wcześniej nie byłem.

— Mamy bardzo ciekawe zbiory, oczywiście chce pan katalog. Jeszcze pół korony, proszę. Ale zgodzi się pan, że warto zapłacić.

— Dziękuję — odparł niepewnie.

Wziął katalog ozdobiony tym samym motywem dłoni i oka co plakat na zewnątrz. Otworzył i zerknął na listę malarzy, szukając nazwiska, o które mu chodziło.

— ...Przepraszam... interesuje pana jakiś konkretny artysta? — Kobieta przy stoliku usiłowała powiedzieć to obojętnie, ale jej oczy błysnęły zaciekawieniem.

— Nie, właściwie nie.

— Po prostu jest pan ciekawy, jak przypuszczam. Mieszka pan w Porthkerris?

— Tak. — Zaczął się od niej oddalać. — Przynajmniej chwilowo.

Szedł wolno wzdłuż długiego pomieszczenia, udając zainteresowanie każdym kolejnym obrazem. Wreszcie znalazł to nazwisko: Pat Farnaby. Numer dwadzieścia cztery. „Podróż" Pata Farnaby'ego. Zatrzymał się dłużej przy numerze dwadzieścia trzy, a potem przeszedł dalej.

Oszołomiła go barwa. Było tam wrażenie ogromnej wysokości, uczucie spadania, jak zawrót głowy. A jednocześnie poczucie uniesienia, jakby znalazł się nad chmurami, pochwycony i zawieszony między błękitem a bielą.

„Musisz jechać — tłumaczył mu Marcus. — Chcę, żebyś wyrobił sobie własną opinię. Nie możesz do końca życia zostać człowiekiem, który sprawdza rachunki. Poza tym chcę poznać twoją reakcję".

I oto była. Czysta wysoka nuta prostego koloru.

Po chwili wrócił do wścibskiej damy. Wiedział, że przez cały czas go obserwuje. Teraz, pomyślał, wygląda jak wygłodniały drozd, który czeka na okruchy.

— Czy to jedyna praca Pata Farnaby'ego?

— Niestety, tak. Tylko tyle udało się nam od niego wyciągnąć.

— Mieszka tu gdzieś blisko, prawda?

— Tak. Przy Gollan.

— Gollan?

— Sześć mil stąd, przy drodze przez wrzosowiska. To farma.

— To znaczy, że jest farmerem?

— Och nie. — Zaśmiała się. Wesoło, pomyślał Robert, jakby kobieta realizowała didaskalia staromodnej sztuki. — Mieszka na stryszku, nad stodołą. O, tutaj.

— Przysunęła sobie skrawek papieru i wypisała adres.

— Jeśli chce się pan z nim spotkać, na pewno tam go pan znajdzie.

Wziął skrawek papieru.

— Dziękuję bardzo. — Ruszył do drzwi.

— Nie chce pan obejrzeć reszty wystawy?

— Może kiedy indziej.

— Jest taka ciekawa.

Mówiła, jakby serce miało jej pęknąć, gdyby nie spojrzał na inne obrazy.

— Tak, jestem tego pewien, ale innym razem.

— I właśnie w tej chwili pomyślał o Emmie Litton. Obejrzał się z ręką na klamce. — Przy okazji... gdybym chciał znaleźć dom Bena Littona... czy to gdzieś blisko? Chodzi mi o dom, nie o pracownię.

— Oczywiście, to zaraz za rogiem. Jakieś sto metrów w dół drogi. Ma niebieską furtkę. Nie sposób tego przeoczyć. Ale wie pan, że pan Litton wyjechał?

— Tak, wiem.

— Jest w Ameryce.

— Tak, to też wiem.

Wciąż lał deszcz. Robert wrócił do samochodu, uruchomił silnik i zjechał ulicą wąską jak królicza nora. Przy niebieskiej furtce zaparkował na chodniku, całkiem blokując przejście. Minął furtkę i po stopniach zszedł na brukowane podwórze, gdzie stały wielkie donice wypełnione podtopionymi roślinami, a malowana drewniana ławka rozpadała się wolno od wilgoci. Dom był długi, niski i parterowy, chociaż nierówne dachy i nie dopasowane kominy zdradzały, że kiedyś były to dwa małe domki, może nawet trzy. Drzwi frontowe, podobnie jak furtkę, pomalowano na niebiesko, a za kołatkę służył miedziany delfin.

Robert zastukał. Z dziurawej rynny chlusnął na niego strumień wody. Cofnął się i spojrzał w górę. Wtedy właśnie drzwi stanęły otworem.

— Dzień dobry — powiedział. — Rynna ci przecieka.

— Skąd się tu wziąłeś?

— Z Londynu. Powinnaś ją naprawić, bo dach zardzewieje.

— Przyjechałeś z Londynu, żeby mi to powiedzieć?

— Nie, oczywiście, że nie. Mogę wejść?

— Pewnie. — Cofnęła się i przytrzymała drzwi.

— Zachowujesz się irytująco. Pojawiasz się nie wiadomo skąd bez uprzedzenia.

— Jak mogę cię uprzedzić, jeśli nie masz telefonu? A nie miałem czasu, żeby napisać list.

— Czy chodzi o Bena?

Robert wszedł do wnętrza, schylając głowę w niskich drzwiach. Rozpiął płaszcz.

— Nie. A powinno?

— Miałam nadzieję, że wraca do domu.

— O ile wiem, wciąż zażywa słonecznych kąpieli w Wirginii.

— A więc?

Odwrócił się do niej. Przyszło mu wtedy do głowy, że w pewien sposób jest równie nieprzewidywalna jak pogoda. Za każdym razem, kiedy ją spotykał, wydawała się inną osobą.

Dzisiaj miała na sobie sukienkę w pomarańczowo--czerwone pasy i czarne pończochy. Włosy spięła na karku szylkretową klamrą. Urosła jej grzywka; zbyt długa, spadała na oczy i Emma musiała je przymykać. Przyglądał się, jak grzbietem dłoni odsuwa włosy z twarzy. Ten gest był jednocześnie niepewny i rozbrajający. Wydawała się bardzo młoda.

Wyjął z kieszeni i podał jej skrawek papieru. Emma przeczytała głośno.

— Pat Farnaby, Gollan Home Farm. — Uniosła głowę. — Skąd to masz?

— Dostałem od kobiety z Galerii Sztuki.

— Pat Farnaby?

— Marcus jest nim zainteresowany.

— Dlaczego sam nie przyjechał?

— Chciał poznać drugą opinię. Moją.

— I wyrobiłeś ją sobie?

— Trudno powiedzieć, bo widziałem dopiero jeden obraz. Miałem nadzieję, że zobaczę więcej.

— To bardzo dziwny młody człowiek — ostrzegła go Emma.

— Spodziewam się tego. Wiesz, gdzie jest farma Gollan?

— Oczywiście. Należy do państwa Stevensów. Latem chodziliśmy razem na pikniki na klify. Ale nie byłam tam od mojego powrotu.

— Pojedziesz ze mną? Pokażesz mi drogę?

— Jak się tam dostaniemy?

— Przed domem stoi mój wóz. Przyjechałem nocą z Londynu.

— Pewnie jesteś zmęczony?

— Nie, przespałem się.

— Gdzie się zatrzymałeś?

— W hotelu. Możesz jechać? Zaraz?

— Oczywiście.

— Potrzebny ci będzie płaszcz.

Emma uśmiechnęła się.

— Poczekaj pół minutki, to coś sobie znajdę.

Odeszła, a jej kroki zastukały na nagiej posadzce korytarza.

Robert zapalił papierosa i rozejrzał się. Intrygował go ten dziwny w kształcie mały domek; przedstawiał nie znaną mu, domową stronę burzliwej osobowości Bena Littona.

Niebieskie frontowe drzwi prowadziły wprost do salonu z ciemnymi belkami na niskim suficie. Było tam wielkie okno z widokiem na morze, a na szerokim parapecie stały gęsto doniczki z geranium i bluszczem, a także wiktoriański wazon pełen róż. Wykładaną kafelkami podłogę pokrywały jaskrawe chodniki. Wszędzie leżały książki i czasopisma, a także sporo niebieskiej i białej hiszpańskiej ceramiki. W granitowym kominku żarzył się ogień. Obok stały kosze suchego, wyrzuconego przez fale drewna. Wisiał też jedyny w pokoju obraz.

Dostrzegł go okiem zawodowca już od progu, a teraz podszedł i obejrzał dokładnie. Był to olejny portret dziecka na osiołku. Dziewczynka miała czerwoną sukienkę, trzymała bukiet białych stokrotek, a na głowie miała upleciony ze stokrotek wianek. Osiołek stał po kolana w bujnej letniej trawie, a w tle mgiełka przysłaniała linię styku nieba i morza. Dziecko miało bose stopy, a jasne oczy spoglądały z opalonej twarzy.

Portret Emmy Litton, dzieło ojca. Robert zastanawiał się, kiedy ten obraz został namalowany.

Wiatr dmuchnął mocniej, jęknął głośno i cisnął w okno kroplami deszczu. To był niesamowity dźwięk. Robert uświadomił sobie, że Emma musi czuć się tu samotna. Zastanawiał się, co robi w takie dni. Zapytał ją o to, gdy wróciła niosąc gumowe buty i płaszcz.

— Och, trochę sprzątam, coś gotuję, chodzę na zakupy. Wszystko to zajmuje sporo czasu.

— A dziś po południu? Co robiłaś dziś po południu, kiedy zapukałem do drzwi?

Emma szarpnęła za cholewkę gumowego buta.

— Prasowałam.

— A wieczorami? Co porabiasz wieczorami?

— Zwykle gdzieś wychodzę. Idę na spacer, obserwuję mewy i kormorany, patrzę na zachód słońca, zbieram drewno do kominka.

— Sama? Nie masz żadnych przyjaciół?

— Mam, ale wszystkie dzieciaki, które tu mieszkały, gdy byłam mała, dorosły i wyjechały.

Zabrzmiało to dość ponuro. Pod wpływem impulsu Robert zaproponował:

— Mogłabyś pojechać ze mną do Londynu. Helen byłaby zachwycona.

— Tak, wiem o tym, ale chyba nie warto, prawda? W końcu Ben wróci lada chwila. To kwestia paru dni.

Włożyła granatowy płaszcz, który wraz z czarnymi pończochami i gumowymi butami nadał jej wygląd uczennicy.

— Miałaś jakąś wiadomość od Bena?

— Od Bena? Chyba żartujesz.

— Zaczynam żałować, że namówiliśmy go na powrót do Ameryki.

— Dlaczego?

— Bo to nie fair wobec ciebie.

— Och, Boże, nic mi się nie stanie. — Uśmiechnęła się. — Idziemy?

Farma Stevensów leżała na szarym paśmie wrzosowisk sięgającym aż do klifów. Szara, porośnięta mchem bryła, zapadnięta w ziemię niczym głaz, mogłaby być zwykłą granitową skałą. Prowadząca od drogi alejka wcinała się głęboko między wysokie kamienne nasypy porośnięte głogiem i jeżynami. Samochód szarpał i podskakiwał. Minęli mostek, wpadli między pierwsze domki, potem na stadko gęsi, wreszcie w podwórze rozbrzmiewające piskliwym głosem koguta.

Robert zahamował i wyłączył silnik. Wiatr cichł, a deszcz zdawał się krzepnąć w gęstą jak dym morską mgłę. Dobiegały ich rozmaite, typowe dla farmy dźwięki: muczenie krów, gdakanie kur, daleki warkot traktora.

— Jak go znajdziemy? — zapytał Robert.

— Mieszka na stryszku, nad stodołą... te schodki prowadzą do drzwi.

Kamienne stopnie zajęte były przez kilka zmokniętych kur, dziobiących jakieś ziarno, i znudzonego burego kota. Poniżej w błocie taplała się wielka maciora. Cuchnęło nawozem. Robert westchnął.

— Czegóż to muszę doświadczać. I wszystko w imię sztuki. — Otworzył drzwi samochodu. — Pójdziesz ze mną?

— Nie chcę wam przeszkadzać.

— Postaram się szybko to załatwić.

Przyglądała się, jak wybiera drogę przez podmokłe podwórko, omija świnię i ostrożnie wspina się na stopnie. Zapukał do drzwi, a nie otrzymawszy odpowiedzi, otworzył je i wszedł do środka. Drzwi zamknęły się za nim. Niemal natychmiast otworzyły się inne, w domu, i wyszła żona farmera ubrana w wysokie buty, pelerynę do kostek i czarny sztormowy kapelusz. Trzymając gruby kij, ruszyła ścieżką do ogrodu, a po drodze zerkała, kto przyjechał tym wielkim zielonym samochodem.

Emma opuściła szybę.

— Dzień dobry, pani Stevens. To ja.

— Kto?

— Emma Litton.

Pani Stevens zaśmiała się zdziwiona, klepnęła w kolano i przycisnęła dłoń do serca.

— Emma! Ależ mnie zaskoczyłaś. Bóg wie, jak dawno cię nie widziałam. Co ty tu robisz?

— Przyjechałam z człowiekiem, który chce się spotkać z Patem Farnabym. Jest teraz u niego.

— Twój ojciec już wrócił?

— Nie, wciąż jest w Ameryce.

— Musisz radzić sobie sama?

— Zgadza się. Jak tam Ernie? — Ernie to pan Stevens.

— Wszystko w porządku, ale dziś musiał jechać do miasta, do dentysty, w sprawie swojej protezy. Strasznie go uwiera, ledwie wytrzymuje, kiedy ją założy. Dlatego muszę za niego wygonić krowę.

— Pójdę z panią — zaproponowała Emma.

— Za mokro dla ciebie.

— Mam gumowce... poza tym chętnie się przejdę.

Lubiła panią Stevens: kobietę, która niezależnie od okoliczności zachowywała dobry nastrój. Przeszły przez przełaz i ruszyły po podmokłym polu.

— Byłaś za granicą, prawda? — spytała pani Stevens. — Tak słyszałam. Nie wiedziałam, że wróciłaś do domu. Szkoda, że twój tata musiał wyjechać. Ale co można poradzić, wszyscy wiemy, jaki on jest...

Rozmowa z Patem Farnabym była, delikatnie mówiąc, trudna. Okazał się wrażliwym młodym człowiekiem, bladym, niedożywionym, z czupryną marchewkowych włosów i brodą w tym samym kolorze. Oczy miał zielone i podejrzliwe jak u głodnego kota. Wydawał się strasznie brudny. Jego mieszkanie też było bardzo brudne, ale tego Robert się spodziewał, więc ignorował ten fakt.

Zaskoczyła go natomiast jego nie ukrywana wrogość. Pat Farnaby wyraźnie nie lubił, kiedy odwiedzali go obcy, nie zaproszeni i nie zapowiedziani. W dodatku akurat wtedy, kiedy pracował. Robert przeprosił, wyjaśnił, że przyjechał w interesach, na co młody człowiek zapytał, co Robert próbuje sprzedać.

Hamując irytację, Robert spróbował innego podejścia. Niemal ceremonialnie wyjął wizytówkę Marcusa Bernsteina.

— Pan Bernstein prosił mnie, bym się z panem zobaczył, obejrzał pańskie prace i dowiedział się, jakie pan ma plany...

— Nie mam żadnych planów — odparł malarz.
— Nigdy nie robię planów.

Traktował wizytówkę, jakby była zakażona, jakby bał się jej dotknąć, więc Robert musiał położyć ją na rogu zagraconego stołu.

— Widziałem pański obraz w galerii w Porthkerris. Ale to jedyny...

— I co z tego?

Robert odchrząknął. Marcus w takich sytuacjach radził sobie nieskończenie lepiej i nigdy się nie denerwował. Robert wiedział, że wyrobienie sobie takiej cierpliwości wymaga czasu. Jego spokój wyślizgiwał mu się niczym nasączona olejem lina między palcami. Pochwycił ją mocniej.

— Chciałbym zobaczyć inne pańskie prace.

Pat Farnaby zmrużył jasne oczy.

— Jak mnie pan znalazł? — zapytał tonem schwytanego w pułapkę przestępcy.

— Dostałem pański adres w galerii. Emma Litton przyjechała ze mną, pokazując mi drogę. Może zna pan Emmę?

— Widywałem ją.

Wyglądało na to, że do niczego nie dojdą. Zapadła cisza. Oczy Roberta błądziły po niechlujnej pracowni. Dostrzegł bardzo skąpe oznaki ludzkiej bytności: łóżko podobne do rozpadającego się gniazda, brudną patelnię, skarpetki namakające w wiadrze i otwartą puszkę fasolki z ostrą blachą wieczka sterczącą do góry. Jednocześnie było tu również wiele płócien ułożonych w stosy, rozrzuconych, opartych o krzesła i o ściany. Potencjalny skarbiec. Dręczyło go pragnienie, by je zobaczyć. Raz jeszcze spojrzał w chłodne, nieruchome oczy artysty.

Wreszcie odezwał się.

— Panie Farnaby, nie mam zbyt wiele czasu.

Poddana próbie niechęć Pata Farnaby'ego załamała się. Nagle wydał się niepewny. Arogancja i nieuprzejmość były jego jedyną obroną przed kaprysami skomplikowanego świata. Podrapał się po głowie, zmarszczył brwi, skrzywił się z rezygnacją, wreszcie podniósł pierwsze z brzegu płótno i obrócił je do światła.

— Mam coś takiego — powiedział niepewnie.

Odsunął się i stanął obok Roberta. Robert wyjął z kieszeni świeżą paczkę papierosów i podał ją młodemu człowiekowi. Pat Farnaby ostrożnie rozerwał celofanowe opakowanie, wyciągnął papierosa, zapalił, a potem ukradkowym ruchem człowieka, który nie chce być obserwowany, wsunął paczkę do kieszeni spodni.

Godzinę później Robert wrócił do samochodu. Emma czekała na niego, patrząc jak schodzi po stopniach i idzie ścieżką przez podwórze. Pochyliła się, by otworzyć mu drzwi, a kiedy usiadł, zapytała:

— Jak ci poszło?

— Chyba dobrze. — Mówił ostrożnym tonem, lecz był wyraźnie podekscytowany.

— Pokazał ci swoje prace?

— Większość.

— I są dobre?

— Chyba tak. Być może jesteśmy blisko czegoś bardzo ważnego. Lecz wszystko jest w tak strasznym chaosie, że trudno być pewnym. Żadnych ram, żadnego porządku czy kolejności...

— Miałam rację, prawda? To prawdziwy dziwak.

— Zwariowany — przyznał Robert. Uśmiechnął się. — Ale geniusz.

Zawrócił wóz na podwórzu i ruszył alejką do drogi. Gwizdał niemelodyjnie przez zęby i Emma wyczuła w nim ekscytację i zadowolenie z dobrze wykonanej pracy.

— Pewnie będziesz chciał porozmawiać z Marcusem? — powiedziała.

— Obiecałem, że natychmiast do niego zadzwonię. — Zsunął mankiet z zegarka i sprawdził czas. — Piętnaście po szóstej. Powiedział, że zaczeka w galerii do siódmej, a potem wróci do domu.

— Możesz mnie wysadzić na skrzyżowaniu. Pójdę piechotą.

— Dlaczego mam cię wysadzić?

— Nie mam telefonu, a ty pewnie się spieszysz do hotelu.

Uśmiechnął się.

— To nie takie pilne. Gdyby nie ty, pewnie wciąż bym jeszcze szukał Pata Farnaby'ego. Mogę cię przynajmniej odwieźć.

Jechali teraz przez wrzosowisko, wysoko nad powierzchnią morza. Wiatr osłabł wyraźnie i skręcił na zachód. Niebo ponad nimi zdawało się otwierać; pojawiły się niespodziewane, rosnące z każdą chwilą strzępki błękitu, a także jasne promienie słońca.

— Zapowiada się piękny wieczór — stwierdziła Emma i uświadomiła sobie, że nie chce, by Robert wracał do hotelu i w taki wieczór zostawił ją samą. Wiatr przywiał go dość nieoczekiwanie w ten ponury dzień, a on nadał mu kształt i cel, wypełnił poczuciem wspólnoty, przeżytą razem przygodą. Nie chciała, by tak to się skończyło. — Kiedy wracasz do Londynu? — spytała.

— Jutro rano. W niedzielę. Od poniedziałku znowu w galerii. To był ciężki weekend.

Więc został tylko ten wieczór. Wyobraziła sobie, jak dzwoni do Marcusa z telefonu obok łóżka. Potem się kąpie, może pije drinka i schodzi na kolację. W sobotni wieczór Castle Hotel urządzał tańce. Grała orkiestra w białych marynarkach, w części sali usuwano stoliki, by zrobić miejsce dla tańczących. Tak jak Ben, Emma uważała takie imprezy za nieznośnie pretensjonalne i nudne. Dziś jednak czuła, że zabawnie byłoby odesłać do diabła twarde zasady Bena. Tęskniła za wykrochmalonymi białymi obrusami, zeszłorocznymi przebojami, rytuałem z kartą win i urokiem lamp pod różowymi abażurami.

Niespodziewane pytanie Roberta wyrwało ją z zadumy.

— Kiedy ojciec namalował twój portret na osiołku?

— Czemu nagle o to pytasz?

— Myślałem o nim. Jest uroczy. Wyglądasz tak poważnie i jesteś pełna godności.

— Taka się właśnie czułam: poważna i pełna godności. Miałam sześć lat i to jest jedyny mój portret, jaki ojciec namalował. Osiołek zwał się Mokey. Woził nas po plaży razem z piknikowymi koszami i całą resztą.

— Zawsze mieszkaliście w tym domku?

— Nie. Od ślubu Bena z Hester. Wcześniej mieszkaliśmy gdziekolwiek: w pensjonatach lub u przyjaciół. Czasem obozowaliśmy w pracowni. To było zabawne, ale Hester oświadczyła, że nie ma zamiaru żyć jak Cyganka, więc kupiła te domki i przebudowała je.

— Nieźle jej wyszło.

— Tak, była zdolna. Ale Ben nigdy nie myślał o tym domku jak o rodzinnym domu. Jego domem jest pracownia. Kiedy mieszka w Porthkerris, spędza w domku jak najmniej czasu. Myślę, że to związek z Hester tak go zniechęcił. Zawsze jakby się obawiał, że ona wejdzie, powie mu, że jest późno albo że zostawia ślady na podłodze i brudzi farbą poduszki na sofie...

— Instynkty twórcze najlepiej rozwijają się w bałaganie.

Emma roześmiała się.

— Czy myślisz, że kiedy wraz z Marcusem uczynicie Pata Farnaby'ego sławnym i bogatym, dalej będzie chciał mieszkać z kurami pani Stevens?

— To się okaże. Lecz jeśli przyjedzie do Londynu, z pewnością ktoś będzie musiał go wyszorować i wyczesać wiekowy kurz z tej skołtunionej brody. A jednak...
— Przeciągnął się z rozkoszą, wyginając plecy na obitym skórą siedzeniu. — Warto podjąć ten wysiłek.

Pokonali wzgórze i teraz zjeżdżali długą drogą do Porthkerris. Morze w spokojnym blasku wieczora stało się przejrzyście błękitne jak skrzydła motyla. Trwał odpływ, zatokę otaczał łuk świeżo wypłukanego piasku. Po deszczu wszystko lśniło świeżością. Kiedy wrzosowiska i pola zostały za nimi, skręcili w wąskie uliczki. Emma zobaczyła otwarte na oścież okna, pochwyciła też oszałamiający zapach róż i lilii z ogródków wielkości znaczka pocztowego.

Były też inne zapachy, aromaty sobotniego wieczoru, smażonej ryby i tanich perfum. Ludzie spacerowali po chodnikach w swoich najlepszych ubraniach, przechadzały się grupki pierwszych turystów, chłopcy i dziewczęta zmierzali ręka w rękę do kina lub do małych kawiarenek przy drodze portowej.

Czekając na skrzyżowaniu, aż policjant pozwoli im jechać, Robert przyglądał się ludziom.

— Co robią młodzi zakochani w Porthkerris w sobotni wieczór, Emmo?

— To zależy od pogody.

Policjant skinął na nich.

— A co my będziemy robić?

— My?

— Tak. Ty i ja. Czy poszłabyś ze mną na kolację?

Przez jedną szaloną chwilę Emma zastanawiała się, czy nie marzyła głośno.

— No... ja... Nie chcę, żebyś to robił z poczucia obowiązku...

— Nie robię tego z poczucia obowiązku. Mam ochotę. Chcę. Więc gdzie pójdziemy? Do hotelu? Czy tam ci się nie podoba?

— Nie... oczywiście... Dlaczego ma mi się nie podobać?

— Może znasz jakąś małą zabawną włoską restauracyjkę, którą bardziej lubisz?

— W Porthkerris nie ma zabawnych włoskich restauracyjek.

— Tego się obawiałem. Więc muszą być palmy w doniczkach i centralne ogrzewanie.

— Jest też orkiestra — zauważyła Emma, czując, że powinna go ostrzec. — W sobotnie wieczory. I ludzie tańczą.

— Mówisz, jakby to było coś nieprzyzwoitego.

— Pomyślałam, że może nie lubisz takich imprez. Ben nie znosi.

— Owszem, czasem lubię. Jak większość rzeczy mogą być zabawne, pod warunkiem że jesteśmy w odpowiednim towarzystwie.

— Nigdy nie myślałam o tym w ten sposób.

Robert zaśmiał się i spojrzał na zegarek.

— Wpół do siódmej. Odwiozę cię do domu, wrócę do hotelu, porozmawiam z Marcusem i wrócę po ciebie. Czy zdążysz do wpół do ósmej?

— Przygotuję ci drinka — obiecała. — Mam butelkę prawdziwej żytniej whisky wujka Remusa. Ben dostał ją dziesięć lat temu i wciąż jest zamknięta. Zawsze marzyłam, żeby sprawdzić, co jest w środku.

Robert jednak nie okazał entuzjazmu.

— Może lepiej przygotuję martini.


W hotelu odebrał klucz i trzy wiadomości.

— Kiedy nadeszły?

— Zanotowałem godziny, proszę pana. Za piętnaście czwarta, piąta i wpół do szóstej. To pan Bernstein dzwonił z Londynu. Prosił o telefon, gdy tylko pan wróci.

— I tak miałem zamiar to zrobić, ale dziękuję.

Lekko marszcząc czoło, gdyż u Marcusa taka niecierpliwość była czymś dziwnym, Robert ruszył do pokoju. Niepokoiły go te liczne telefony. Może Marcus usłyszał plotki, że jakaś inna galeria poluje na młodego artystę. A może przemyślał sprawę Farnaby'ego i chciał zrezygnować.

W pokoju służba zaciągnęła zasłony, posłała łóżko i rozpaliła ogień. Usiadł na łóżku, podniósł słuchawkę i podał numer galerii. Wyjął z kieszeni trzy kartki z wiadomościami i ułożył je rządkiem na nocnej szafce: „Pan Bernstein prosi o telefon". „Dzwonił pan Bernstein, zadzwoni później". „Pan Bernstein..."

— Kent 3778. Galeria Bernsteina.

— Marcus...

— Robercie, dzięki Bogu, że w końcu cię złapałem. Odebrałeś moją wiadomość?

— Aż trzy. Ale mówiłem przecież, że zadzwonię w sprawie Farnaby'ego.

— To nie chodzi o Farnaby'ego. To o wiele ważniejsze. Chodzi o Bena Littona.

Była to szaleńczo droga sukienka, którą zobaczyła w Paryżu; oglądała ją wielokrotnie, wreszcie kupiła. Czarna, bez rękawów, całkiem prosta. „Ale kiedy założysz taką suknię?", spytała madame Duprés, a Emma, rozkoszując się luksusem posiadania, odparła: „Och, kiedyś. Przy specjalnej okazji".

Do dzisiejszego wieczoru taka okazja się jeszcze nie zdarzyła. Teraz z wysoko zaczesanymi włosami i klipsami na uszach, Emma ostrożnie wciągnęła sukienkę przez głowę, zapięła paseczek, a odbicie w lustrze przekonało ją, że te tysiące franków wydała rozsądnie.

Kiedy przyszedł Robert, była w kuchni, walcząc z tacką lodowych kostek do martini, które obiecał przygotować. Usłyszała warkot samochodu, trzaśnięcie drzwi, zgrzyt otwieranej i zamykanej furtki i kroki na schodach. W panice wrzuciła lód do szklanej misy i pobiegła go wpuścić. Przekonała się, że ponury dzień przeszedł w idealnie bezchmurną noc, a niebo usiane gwiazdami lśniło niczym klejnot.

— Piękna noc — powiedziała.

— Zdumiewające, prawda? Po całym tym wietrze i deszczu Porthkerris wygląda jak Positano. — Wszedł do środka, a Emma zamknęła za nim drzwi. — Nawet księżyc wschodzi nad morzem, żeby dopełnić iluzji. Potrzebujemy jeszcze tylko gitary i tenora śpiewającego „Santa Lucia".

— Może kogoś znajdziemy.

Przebrał się w szary garnitur, sztywną koszulę z nienagannym kołnierzykiem i ze złotymi spinkami w lśniąco białych mankietach odsłaniających przeguby dłoni. Jasne włosy zaczesał gładko i pachniał świeżo cytrynową wodą po goleniu.

— Nadal chcesz przyrządzić martini? Wszystko przyszykowane. Właśnie próbowałam przygotować lód... — Wróciła do kuchni, podnosząc głos, by usłyszał ją przez otwarte drzwi. — Dżin i martini są na stoliku. I cytryna. Och, potrzebny będzie nóż, żeby ją pokroić.

Otworzyła szufladę, znalazła jeden szpiczasty i bardzo ostry. Wróciła do salonu niosąc nóż i misę lodu.

— Szkoda, że nie ma Bena. On uwielbia martini, tylko nigdy nie pamięta właściwych proporcji i zalewa wszystko sokiem z cytryny.

Robert nie odpowiedział. Emma zauważyła, że nawet nie próbował się rozgościć. Nie zakrzątnął się koło drinków, nie zapalił papierosa, co samo w sobie było niezwykłe. Robert był zwykle najspokojniejszym i najbardziej opanowanym z ludzi. Teraz jednak okazywał skrępowanie. Z drżeniem serca Emma pomyślała, że może już żałuje wieczoru, który mają spędzić razem.

Ułożyła cytryny obok pustych szklanek, tłumacząc sobie, że to tylko gra wyobraźni. Odwróciła się i uśmiechnęła lekko.

— Czego ci jeszcze potrzeba?

— Już nic — odparł i wcisnął ręce w kieszenie spodni.

Nie był to gest człowieka, który ma przygotować martini. Płonące polano w kominku pękło, posyłając w górę fontannę iskier.

Może zdenerwowała go rozmowa telefoniczna?

— Rozmawiałeś z Marcusem?

— Tak. Właściwie to on przez całe popołudnie próbował mnie złapać.

— A ciebie oczywiście nie było. Ucieszył się, gdy mu powiedziałeś o Farnabym?

— Nie dzwonił w sprawie Farnaby'ego.

— Nie? — Nagle się przestraszyła. — Czy to złe wiadomości?

— Nie, oczywiście, że nie. Ale pewnie nie będziesz zachwycona. Chodzi o twojego ojca. Widzisz, dzwonił do Marcusa dziś rano, ze Stanów. Chciał, by ci przekazać, że wczoraj, w Queenstown, on i Melissa Ryan pobrali się.

Emma uświadomiła sobie, że wciąż trzyma w ręce nóż, że jest bardzo ostry i może się nim skaleczyć. Dlatego odłożyła go ostrożnie obok cytryny...

Pobrali się. Słowa te przywodziły na myśl histeryczne obrazy wesela: Bena z białym kwiatem w klapie wyciągniętej sztruksowej marynarki, Melissy Ryan w jej różowym kostiumie, za mgiełką białego welonu i obsypaną konfetti, ochrypłych kościelnych dzwonów, wykrzykujących swą wieść poprzez zielone pola Wirginii, których Emma nigdy nie widziała. To było jak koszmar.

Uświadomiła sobie, że Robert Morrow wciąż do niej mówi równym, spokojnym głosem.

— ...Marcus uważa, że w pewien sposób to jego wina. To on uznał prywatną wystawę za dobry pomysł. Był z nimi w Queenstown, widział ich razem przez cały czas i nawet nie zaczął podejrzewać, co się szykuje.

Emma przypomniała sobie, jak Marcus opisywał piękny dom. Zobaczyła Bena schwytanego w klatkę pieniędzy Melissy, jak tygrysa krążącego po więzieniu, wśród luksusu tłumiącego wszystkie twórcze odruchy. Zdała sobie sprawę, że nie doceniła Melissy Ryan. Sądziła, że Ben zniechęci się koniecznością walki o to, czego pragnie. Nie zdawała sobie sprawy, jak bardzo tego pragnął.

Nagle się rozzłościła.

— Nie powinien wracać do Ameryki. Nie było takiej potrzeby. Chciał tylko zostać sam i spokojnie malować.

— Emmo, nikt go nie zmuszał.

— Nie chodzi o to, że to małżeństwo długo potrwa. Ben nigdy nie pozostał wierny jednej kobiecie dłużej niż sześć miesięcy, a nie sądzę, by Melissa Ryan to wytrzymała.

— Może tym razem im się uda — odparł łagodnie Robert. — I potrwa to dłużej.

— Widziałeś ich razem, gdy się spotkali. Nie mogli oderwać od siebie oczu. Gdyby była stara i brzydka, nic nie wyciągnęłoby go z Porthkerris.

— Ale nie była stara i brzydka. Była piękna, inteligentna i bardzo bogata. A gdyby nie Melissa Ryan, wkrótce byłby to ktoś inny, a co gorsza... — wtrącił szybko, zanim Emma zdążyła mu przerwać — wiesz równie dobrze jak ja, że to prawda.

— Przynajmniej bylibyśmy razem dłużej niż miesiąc — odparła z goryczą.

Robert pokręcił głową.

— Och, Emmo, pozwól mu odejść.

Ten ton doprowadził ją do wściekłości.

— Jest moim ojcem. Co złego w tym, że chcę być przy nim?

— On nie jest ojcem, tak samo jak mężem, kochankiem czy przyjacielem. On jest artystą. Jak ten zapalony maniak, którego widziałem dziś po południu. Oni nie mają czasu na nasze wartości czy normy. Wszystko i każdy może zająć najwyżej drugie miejsce.

— Drugie miejsce? Nie przeszkadzałoby mi drugie miejsce, nawet trzecie lub czwarte. Ale ciągle byłam na samym dole jego listy priorytetów. Jego malarstwo, romanse, wieczne wędrówki po całym świecie; zawsze byłam nawet za Marcusem i tobą. Wszyscy jesteście dla Bena ważniejsi, niż ja byłam kiedykolwiek.

— Więc zostaw go samego. Pomyśl dla odmiany o czymś innym. Rzuć to wszystko, zostaw za sobą. Znajdź sobie jakąś pracę.

— Próbowałam już tego przez ostatnie dwa lata.

— Więc jedź ze mną jutro do Londynu i zatrzymaj się u Marcusa i Helen. Oddalisz się od Porthkerris, zyskasz czas, żeby przyzwyczaić się do myśli o tym, że Ben jest znów żonaty. Postanowisz, co robić dalej.

— Może już postanowiłam.

Wciąż tkwiło to w głębi jej umysłu, jak na obrotowej scenie widzianej z zaciemnionej sali teatru. Jeden zestaw dekoracji znika, a równocześnie na scenę wjeżdża nowy, zupełnie inny. Może inny pokój. Inny widok z innego okna.

— Ale ja nie chcę jechać do Londynu.

— A dzisiejszy wieczór?

Emma zmarszczyła brwi. Zapomniała.

— Dzisiejszy wieczór?

— Mamy iść razem na kolację.

Poczuła, że tego nie zniesie.

— Wolałabym raczej nie...

— To ci dobrze zrobi...

— Wcale nie. Boli mnie głowa.

Był to pretekst wymyślony na poczekaniu, jednak ze zdumieniem uświadomiła sobie, że to prawda. Ból sprawiał wrażenie początków migreny: wydawało jej się, że coś wciąga jej gałki oczne w głąb głowy. Sama myśl o jedzeniu, kurczaku w sosie i lodach powodowała mdłości.

— Nie mogę iść. Nie mogę.

114

— To jeszcze nie koniec świata — powiedział łagodnie Robert i tego starego pocieszającego banału Emma nie mogła już znieść.

Ku swemu przerażeniu zaczęła płakać. Przyciskając czubkami palców skronie, próbowała przestać, wiedząc, że płacz wszystko pogorszy, że będzie ślepa z bólu, będzie chora...

Słyszała, jak wymawia szeptem jej imię. W dwóch krokach pokonał dzielącą ich przestrzeń, objął ją, przytulił i pozwolił, by zalała łzami te nieskazitelne szare klapy marynarki. Emma nie próbowała się odsunąć. Stała nieruchomo, skupiona na własnym cierpieniu, sztywna, zimna, nienawidząc go za to, co jej zrobił.

# 7

Trzymając w dłoni napełnioną do połowy szklaneczkę szkockiej z lodem, Jane Marshall spytała:

— ...i co się wtedy stało?

— Nic. Nie chciała pójść na kolację. Wyglądała, jakby miała dostać ataku. Położyłem ją do łóżka, dałem gorącą herbatę i aspirynę, a potem wróciłem do hotelu i zjadłem kolację sam. Nazajutrz rano, w niedzielę, zajrzałem tam jeszcze, żeby się pożegnać, nim wyjadę do Londynu. Kręciła się już po domu, była dość blada, ale wyglądało na to, że doszła do siebie.

— Próbowałeś ją przekonać, aby wyjechała z tobą?

— Tak, ale była nieugięta. Powiedzieliśmy sobie do widzenia i zostawiłem ją. Od tego czasu nie miałem od niej wiadomości.

— Ale z pewnością możesz sprawdzić, gdzie jest teraz?

— Nie ma żadnego sposobu. Nie mają telefonu... nigdy nie mieli. Marcus oczywiście pisał, lecz Emma odziedziczyła chyba po Benie wrodzoną niechęć do odpowiadania na listy. Nie odezwała się.

— Przecież to szaleństwo. W dzisiejszych czasach... musi być ktoś, kto może wiedzieć...

— Nie ma nikogo. Emma z nikim nie rozmawiała. Nie ma sprzątaczki, gdyż sprząta sama. To był zresztą główny powód powrotu do Porthkerris: żeby się zająć domem Bena. Oczywiście po dwóch tygodniach takiej absolutnej ciszy Marcus nie mógł już wytrzymać i zatelefonował do barmana ze Sliding Tackle. To pub, który Ben często odwiedzał. Ale Bena nie ma od sześciu tygodni, a Emma nigdy tam nie zagląda.

— Więc będziecie musieli pojechać do Porthkerris i popytać.

— Marcus wolałby tego nie robić.

— Dlaczego?

— Ma swoje powody. Emma nie jest dzieckiem. Została zraniona i Marcus szanuje fakt, że chce być sama. Nie ma prawa się wtrącać. Zaprosił ją do Londynu, mogłaby zamieszkać z nim i Helen... dopóki nie wróci do siebie. Więcej już nie może zrobić. Zresztą jest jeszcze inny powód.

— Wiem — rzekła Jane. — Helen, prawda?

— Tak — przyznał niechętnie Robert. — Helen nigdy się nie podobała ta władza Bena nad Marcusem. Bywały chwile, gdy chętnie zobaczyłaby Bena na dnie oceanu. Pogodziła się z tym, gdyż nie miała wyjścia. Niańczenie kariery Bena jest częścią pracy Marcusa i bez Marcusa, który utrzymuje go mniej więcej na torze, Bóg jeden wie, co mogłoby się stać z Benem Littonem.

— A teraz nie chciałaby, żeby zamartwiał się jeszcze o Emmę.

— Właśnie.

Jane zakołysała szklanką. Lód brzęknął o szkło.

— A ty? — zapytała.

Uniósł głowę.

— Co ja?

— Czy ty też jesteś zaangażowany w sprawę Emmy?

— Dlaczego o to pytasz?

— Bo mówisz takim tonem...

— Prawie jej nie znam.

— Ale martwisz się o nią.

Zastanowił się.

— Tak — przyznał w końcu. — Tak, chyba tak. Bóg wie dlaczego.

Szklankę miał pustą, więc Jane odstawiła drinka i podniosła się, by dolać mu whisky. Zza jego pleców, nakładając kostki lodu, spytała:

— A czemu ty sam nie pojedziesz do Porthkerris, żeby sprawdzić?

— Bo jej tam nie ma.

— Nie ma...? Skąd wiesz? Nie mówiłeś mi o tym.

— Po nieudanym telefonie do Sliding Tackle Marcus nabrał wiatru w żagle. Zadzwonił na policję, a oni sprawdzili kilka faktów i oddzwonili. Dom stoi zamknięty, pracownia zamknięta, a na poczcie mają zatrzymać jej korespondencję, póki ich nie zawiadomi. — Wziął drinka, którego podała mu ponad oparciem sofy. — Dzięki.

— A jej ojciec...? Czy on coś wie?

— Tak. Marcus pisał i opowiedział mu o wszystkim. Trudno jednak się spodziewać, żeby Ben się tym przejął. W końcu nadal jest, praktycznie rzecz biorąc, w środku miodowego miesiąca, a Emma włóczyła się samodzielnie po Europie, odkąd skończyła czternaście lat. Nie zapominaj, że to nie jest normalny układ między ojcem i córką.

Jane westchnęła.

— Z pewnością nie.

Robert uśmiechnął się do niej. Jej rzeczowy charakter dodawał otuchy. Pod wpływem nagłego impulsu w drodze do domu wpadł do niej wieczorem na drinka. Zazwyczaj wspólne życie, jakie prowadził z Marcusem Bern-steinem: praca w galerii i mieszkanie w tym samym domu, nie wywoływały żadnych napięć. Lecz teraz sprawy się skomplikowały. Robert wrócił ze służbowej podróży do Paryża i stwierdził, że Marcus jest bliski załamania, że nie potrafi się skupić na niczym prócz problemu Emmy Litton. Po krótkiej rozmowie Robert zrozumiał, że Marcus siebie obwinia o to, co się stało i nie daje się przekonać. Z drugiej strony Helen nie okazywała współczucia. Uznała, że mąż nie powinien angażować się głębiej w całą tę głupią sprawę. Obecnie napięcie między nimi narastało i cały układ stosunków przy Milton Gardens rozpadał się w oczach.

Pogoda też nie poprawiała sytuacji. Po chłodnej wio-śnie nad Londyn nadciągnęła nagle fala upałów. Poranki wstawały w perłowej mgle, która stopniowo rozpływała się w palących promieniach słońca. Dziewczęta chodziły do pracy w sukienkach bez rękawów, mężczyźni zdejmo-wali marynarki i siadali przy biurkach w samych koszu-lach. W porze lunchu parki były pełne odpoczywających ludzi, sklepy i restauracje rozkwitły pasiastymi markiza-mi. Okna otwierano na najlżejszy podmuch, a na ulicach skwierczały zaparkowane samochody, jaśniały bielą chod-niki, a topniejący asfalt lepił się do butów.

Upał niby zaraza wdarł się nawet do spokojnych tur-kusowych pomieszczeń Galerii Bernsteina. Przez cały dzień przetaczał się przez nią nieskończony potok gości i potencjalnych klientów; zaczął się bowiem transatlan-tycki sezon turystyczny. Jak zwykle był to ich najbardziej pracowity okres. Pod koniec dnia, jadąc do domu, Robert stwierdził nagle, że tęskni za jakąś nową twarzą, zimnym drinkiem, zwykłą rozmową, która nie dotyczy artystów, czy to renesansowych, czy impresjonistów, czy też pop.

Natychmiast przyszła mu na myśl Jane Marshall.

Jej mały domek stał w wąskim zaułku między Sloane Square a Pimlico Road. Skręcił w uliczkę, zaparkował przy krawężniku i zatrąbił dwa razy. Jane stanęła w otwartym oknie na piętrze, oparła dłonie o parapet i wychyliła się, by sprawdzić, kto przyjechał. Jasne włosy opadły jej na twarz.

— Robert! Myślałam, że wciąż jesteś w Paryżu.

— Byłem jeszcze przedwczoraj. Znajdziesz jakiegoś zimnego drinka dla wyczerpanego człowieka pracy?

— Oczywiście, że znajdę. Zaczekaj. Zejdę i ci otworzę.

Zawsze uważał jej domek za czarujący. Dawno temu było to mieszkanie woźnicy. Miało wąskie strome schody prowadzące prosto na piętro, gdzie był otwarty korytarz, salonik, kuchnia i schody wyżej, na poddasze z sypialnią i łazienką. Dom był niewielki, ale odkąd Jane zaczęła pracować jako dekoratorka wnętrz, stał się wśród znajomych rodzajem żartu. Salon przerobiła na pracownię, a bele materiału, frędzle, poduszki i różne drobne ozdóbki, które gdzieś wyszukała, zajmowały wszystkie wolne miejsca, nadając domowi wrażenie wesołe i barwne jak zszywana z kolorowych szmatek narzuta.

Jane była zachwycona wizytą. Spędziła ten ranek z jakąś męczącą kobietą, która zażądała, by cały jej dom przy St John's Wood wymalować na kremowy kolor, co nazwała „wystrojem w magnolie". A potem miała spotkanie z młodą, robiącą szybką karierę aktorką, która z kolei do nowego mieszkania żądała czegoś szokującego.

— Siedziała tu godzinami, pokazywałam jej zdjęcia i rysunki tego, o co jej mniej więcej chodzi. Próbowałam wytłumaczyć, że powinna sprowadzić buldożer, a nie dekoratora wnętrz, ale nie chciała słuchać. Ci ludzie nigdy nie słuchają. Whisky?

Robert opadł na sofę przy oknie.

— To najmilsza rzecz, jaką dziś usłyszałem.

Nalała dwa drinki, upewniła się, że ma pod ręką papierosy i popielniczkę, a potem usiadła naprzeciw niego.

Była ładną dziewczyną. Miała jasne włosy, proste i gęste, obcięte na linii podbródka, zielone oczy, zadarty nosek, a wykrój warg słodki, choć stanowczy. Rozbite małżeństwo pozostawiło pewne ślady w jej charakterze i nie zawsze była tolerancyjna, ale tkwiła w niej szczerość, którą uważał za odświeżającą jak łyk zimnej wody. I zawsze wyglądała wspaniale.

— A przyjechałem tutaj z mocnym postanowieniem nierozmawiania o pracy — oświadczył. — Jak w ogóle doszliśmy do tematu Bena Littona?

— To ja zaczęłam. Byłam zaciekawiona. Za każdym razem kiedy widzę Helen, rzuca jakieś uwagi, ale nie chce powiedzieć nic więcej. Bardzo mocno to przeżywa, prawda?

— Tylko dlatego, że kiedyś Ben Litton strasznie wykorzystywał Marcusa.

— Zna Emmę?

— Nie widziała jej, odkąd sześć lat temu mała wyjechała do Szwajcarii.

— Czasem trudno obiektywnie ocenić ludzi, jeśli nie zna się ich zbyt dobrze — stwierdziła Jane.

— Czasem trudno być obiektywnym, nawet jeśli się ich zna. A teraz... — Pochylił się i zgasił papierosa. — Zostawmy ten temat i umówmy się, że nie będziemy do niego wracać. Co robisz dziś wieczorem?

— Zupełnie nic.

— Może wyjdziemy gdzieś i znajdziemy jakieś miejsce z ogródkiem albo tarasem i spokojnie zjemy kolację?

— Niezły pomysł — przyznała Jane.

— Zadzwonię do Helen i uprzedzę, że nie wracam...

— W takim razie... — Wstała. — Wezmę prysznic i przebiorę się. To nie potrwa długo.

— Nie ma pośpiechu.

— Czuj się jak w domu... nalej sobie jeszcze drinka. Papierosy są tutaj, gdzieś leży gazeta, jeśli masz ochotę przejrzeć.

Poszła na górę. Słyszał jej kroki, gdy wysokie obcasy stukały o podłogę. Śpiewała coś pod nosem, trochę fałszywie. Odłożył szklankę i przeszedł do saloniku. Po chwili pod zwojem kwiecistego perkalu odszukał telefon i zadzwonił do Helen, by uprzedzić, że nie będzie na kolacji. Potem wrócił, nalał sobie trzeciego drinka, poluzował krawat i znów opadł na sofę.

Whisky ożywiła go nieco. Pod jej czystym zimnym ukłuciem nastrój zmienił się ze znużenia po dniu pełnym pracy w przyjemne rozleniwienie. Spod poduszki wystawała gazeta. Wyciągnął ją i zobaczył, że nie jest to „Evening Standard", lecz „Scena" .

— Jane.

— Tak?

— Nie wiedziałem, że czytujesz „Scenę".

— Nie czytuję.

— Ale tu leży.

— Naprawdę? — Nie była szczególnie zainteresowana. — Dinah Burnett musiała ją zostawić. Wiesz, ta aktorka, która potrzebuje buldożera.

Bez zainteresowania otworzył pismo. „Potrzebujemy wszechstronnej tancerki". Dlaczego musi być wszechstronna? Nie wystarczy wielostronna?

Nie miał pojęcia.

Zajrzał na stronę z repertuarem. Grali Szekspira w Birmingham, jakąś powtórkę w Manchesterze, a w Brookford premierę nowej sztuki...

Brookford.

Ta nazwa wystrzeliła ze strony niczym pocisk. Brookford. Usiadł, wyrównał gazetę i przeczytał cały tekst.

*Teatr w Brookford otwiera w tym tygodniu letni sezon sztuką „Stokrotki na trawie", komedią w trzech aktach autorstwa miejscowej pisarki Phyllis Jason. W tej lekkiej, ale dobrze napisanej komedii występuje aktorka Charmian Vaughan w głównej roli Stelli. Pozostałe role są drugoplanowe, ale John Rigger, Sophie Lambart i Christopher Ferris pomagają doprowadzić wesołą akcję do finału, a Sara Rutherford jest czarująco naturalna jako narzeczona. Reżyseria Tommy'ego Childersa jest bystra i błyskotliwa, zaś scenografia Briana Dare'a wzbudziła spontaniczny aplauz entuzjastycznej publiczności.*

Christopher Ferris.

Odłożył starannie gazetę. Christopher Ferris. Zapomniał o Christopherze.

Ale teraz w plątaninie wspomnień raz jeszcze zabrzmiał głos Emmy, tego pierwszego dnia, kiedy zaprosił ją na obiad do Marcella.

„Zna pan Christophera? Zupełnie przypadkiem spotkałam go w Paryżu. Przyszedł dziś rano i odprowadził mnie na Le Bourget".

Przypomniał sobie, że patrząc na nią wtedy poczuł się nagle mądry: sądził, że domyśla się znaczenia jej uśmiechu, rumieńców i lśnienia oczu.

A później, w pełnej przeciągów pracowni w Porth-kerris, temat Christophera pojawił się znowu, wciśnięty między ważniejsze fragmenty rozmowy. „Jest teraz w Brookford", rzekła Emma. „Bez przerwy ma próby".

Wstał i podszedł do schodów.

— Jane.

— Tak?

— Kiedy będziesz gotowa?

— Właśnie robię makijaż.

— Gdzie leży Brookford?

— W Surrey.

— Jak długo się tam jedzie?

— Do Brookford? Jakieś czterdzieści pięć, pięćdziesiąt minut.

Spojrzał na zegarek.

— Jeśli wyjedziemy zaraz lub jak najszybciej... nie powinniśmy za bardzo się spóźnić.

Jane stanęła u szczytu schodów z lusterkiem w jednej ręce i tuszem do rzęs w drugiej.

— Spóźnić na co?

— Jedziemy do teatru.

— Zdawało mi się, że idziemy na kolację.

— Może później. Ale najpierw pojedziemy do Brookford, żeby zobaczyć dobrą komedię pod tytułem „Stokrotki na trawie"...

— Czy ty zwariowałeś?

— ...napisaną przez miejscową pisarkę Phyllis Jason.

— Naprawdę zwariowałeś.

— Wyjaśnię ci wszystko po drodze. Bądź kochana i pospiesz się.

Kiedy mknęli już autostradą M4, Jane stwierdziła:

— To znaczy, że nikt prócz ciebie nie wie o tym młodym człowieku.

— Emma nie powiedziała Benowi, bo nigdy nie lubił Christophera. Helen twierdzi, że był o niego zazdrosny.

— I także nie powiedziała o tym Marcusowi.

— Chyba nie.

— Ale powiedziała tobie.

— Tak, mnie powiedziała. Zaraz pierwszego dnia. Nie potrafię zrozumieć, dlaczego nie pomyślałem o nim wcześniej.

— Jest w nim zakochana?

— Nie mam pojęcia. Z pewnością bardzo go lubi.

— Myślisz, że znajdziemy ją w Brookford?

— Jeśli nie, to mogę się założyć, że Christopher wie, gdzie ona jest. — Jane milczała. Po chwili, wpatrzony w drogę przed sobą, dodał: — Przepraszam. Obiecałem, że nie będziemy wracać do tematu, a teraz porywam cię na pustkowia mrocznego Surrey.

— A dlaczego tak ci zależy, by znaleźć Emmę? — spytała Jane.

— Z powodu Marcusa. Zależy mi, żeby się uspokoił.

— Rozumiem.

— Jeśli Marcus jest spokojny, to Helen też się uspokaja i życie jest dla nas wszystkich prostsze.

— Tak, to rozsądny powód... Patrz, chyba powinniśmy tu skręcić.

Teatr w Brookford nie był łatwy do odnalezienia. Krążyli tam i z powrotem główną ulicą, potem spytali o drogę zmęczonego policjanta w samej koszuli. Skierował ich o pół mili od centrum miasta, potem w boczną ulicę, aż w końcu w ślepym zaułku znaleźli duży ceglany budynek, najbardziej przypominający dom misyjny. Jednak neon nad wejściem głosił wyraźnie TEATR, choć wieczorne słońce przyćmiewało jego blask.

Przed wejściem, na chodniku, stało kilka samocho-dów, a obok na krawężniku siedziały dwie małe dziew-czynki i bawiły się zepsutym ekspresem do kawy.

Na ścianie wisiały plakaty.

PREMIERA ŚWIATOWA
Phyllis Jason
STOKROTKI NA TRAWIE
Komedia w trzech aktach
Reżyseria: Tommy Childers

Jane przyjrzała się skromnej fasadzie.

— To tyle, jeśli chodzi o współczesny teatr.

Robert wziął ją pod rękę.

— Chodźmy.

Po kamiennych schodach weszli do niewielkiego foyer, gdzie z jednej strony stał kiosk z papierosami, a z drugiej kasa. W okienku jakaś dziewczyna robiła na drutach.

— Obawiam się, że przedstawienie już się zaczęło — powiedziała, kiedy Robert i Jane stanęli za szybą.

— Tak, wiemy, że się spóźniliśmy. Ale i tak kupimy dwa bilety.

— Jakie miejsca?

— Och, może parter.

— Piętnaście szylingów, ale muszą państwo zacze-kać do drugiego aktu.

— Możemy się tu czegoś napić?

— Bar jest na górze.

— Dziękuję bardzo. — Robert wziął bilety i resztę.

— Pewnie zna pani ludzi, którzy tu pracują.

— Owszem.

— Christopher Ferris.

— Och, jest państwa przyjacielem?

— Przyjacielem przyjaciela. Zastanawiałem się, czy jest tu jego siostra... a w każdym razie przyrodnia siostra, Emma Litton.

— Emma tu pracuje.

— Pracuje tutaj? W teatrze?

— Zgadza się. Jest asystentką kierownika sceny. Poprzednia dziewczyna dostała zapalenia wyrostka, więc Emma powiedziała, że przyjdzie i pomoże. Oczywiście — dodała profesjonalnym tonem — pan Childers zwykle woli kogoś, kto ma trochę doświadczenia na scenie, by w razie czego mógł wystąpić w jakiejś drobnej roli. Jednak skoro tu była i nie miała nic innego do roboty, dał jej tę pracę. Dopóki stała pracownica nie poczuje się lepiej.

— Rozumiem. Czy moglibyśmy się z nią jakoś zobaczyć?

— Po przedstawieniu. Przed końcem pan Childers nikogo nie wpuszcza za kulisy.

— To nam nie przeszkadza. Zaczekamy. Dziękuję bardzo.

— Nie ma za co. Drobiazg.


Weszli na górę do drugiego większego foyer z barem w rogu. Usiedli, zamówili piwo i rozmawiali z barmanem, póki lekki szum oklasków nie oznajmił końca pierwszego aktu. Zapalono światła, otworzyły się drzwi i w korytarzu pojawił się wąski strumień ludzi. Jane i Robert zaczekali aż do pierwszego dzwonka, potem weszli na widownię, kupując po drodze programy. Gorliwa dziewczyna w stylonowym kombinezonie pokazała im miejsca. Publiczność nie była liczna, Jane i Robert okazali się jedynymi widzami w trzecim rzędzie. Jane rozejrzała się z miną profesjonalistki.

— Myślę, że był to kiedyś hol misji — stwierdziła.

— Nikt nie budowałby czegoś tak paskudnego na teatr. Chociaż muszę przyznać, że udekorowali to z wyobraźnią. Dobrze dobrali oświetlenie i kolory. Szkoda, że nie mają większego powodzenia...

Kurtyna poszła w górę przed drugim aktem. „Bawialnia w domu pani Edbury w Gloucestershire", napisano w programie i rzeczywiście ją zobaczyli. Była to kompletna bawialnia z wyjściem na taras, schodami, szezlongiem, stolikiem z napojami, stolikiem pod telefon, niskim stolikiem z gazetami (by główna bohaterka mogła je przerzucać, gdy nie miała co robić z rękami?) i trojgiem drzwi.

— Będą przeciągi — mruknęła Jane.

— Może nie, jeśli zamkną wyjście na taras.

Ale wyjście na taras musiało być otwarte, gdyż wbiegło przez nie wcielenie niewinności („Sara Rutherford jest czarująco naturalna jako narzeczona"), rzuciło się na szezlong i wybuchnęło płaczem. Twarz Jane wyrażała zachwyt i niedowierzanie. Robert przygarbił się w fotelu.

Sztuka była straszna. Byłaby straszna, nawet gdyby widzieli pierwszy akt i potrafili rozplątać labirynt wątków. Jeżyła się kliszami, banalnymi postaciami (była nawet zabawna jaśnie pani służąca), sztucznymi wejściami i wyjściami oraz rozmowami przez telefon. W samym drugim akcie przeprowadzono ich osiem.

Kiedy kurtyna opadła, Robert stwierdził:

— Chodź, napijemy się czegoś. Po tym wszystkim mam ochotę na podwójną brandy.

— Nie ruszam się z miejsca — oznajmiła Jane.

— Nie chcę zepsuć nastroju. Nie widziałam takiej sztuki, odkąd skończyłam siedem lat. A dekoracje wywołują nostalgię. Jest tylko jedna rzecz, która do tego wszystkiego nie pasuje.

— Co takiego?

— Christopher Ferris jest dobry. Bardzo dobry...

Rzeczywiście. Kiedy wkroczył na scenę jako niezdecydowany młody student uniwersytetu, który w końcu miał odebrać bohaterkę maklerowi, „Stokrotki na trawie" błysnęły pierwszą słabą iskierką życia. Jego rola nie była lepsza od innych, ale miał bezbłędne wyczucie czasu, potrafił sprawić, że słowa brzmiały smutno, zabawnie czy uwodzicielsko. Na scenie nosił sztruksy, wyciągnięty sweter i okulary w rogowej oprawie, ale to wszystko nie zdołało przysłonić jego elegancji, dobrego wyglądu i gracji, z jaką się poruszał.

— ...jest nie tylko bardzo dobry, ale też bardzo atrakcyjny — mówiła dalej Jane. — Teraz rozumiem, dlaczego przyrodnia siostra tak się ucieszyła, że wpadła na niego w Paryżu. Sama chciałabym na niego wpaść.

Trzeci akt rozgrywał się w tych samych dekoracjach, ale teraz panowała noc. Błękitne światło księżyca lśniło przez otwarte okno, a po schodach schodziła na palcach mała narzeczona z walizką w ręku. Była gotowa do ucieczki, potajemnego małżeństwa lub czegoś jeszcze, nad czym będzie się zastanawiać przez ostatnią godzinę przedstawienia. Robert nie zdołał zapamiętać. Czekał, aż na scenę wróci Christopher. Kiedy to nastąpiło, przyglądał mu się przez cały czas, obiektywnie i z podziwem. Młody aktor zdobył całą publiczność. Trzymał widownię w garści... fakt, że niewielką. Wszyscy patrzyli tak jak Robert. Christopher drapał się po głowie, a oni się śmiali. Zdejmował okulary, by pocałować dziewczynę, i śmiali się znowu. Wkładał je, by powiedzieć „Żegnaj na zawsze", i zapadała cisza, a potem ludzie zaczynali pociągać nosami.

A kiedy sztuka się skończyła i aktorzy stanęli przed kurtyną, oklaski były długie, szczere, i wszystkie dla Christophera.

— Co teraz robimy? — spytała Jane.

— Zamykają za dziesięć minut. Chodź, napijemy się czegoś.

Wrócili do baru.

— Podobała się państwu sztuka? — zapytał barman.

— Właściwie nie wiem... ja...

Jane okazała więcej odwagi.

— Uważamy, że była straszna — powiedziała szczerze, ale bardzo uprzejmie. — A ja zakochałam się w Christopherze Ferrisie.

Barman wyszczerzył zęby.

— Niezły jest, prawda? Szkoda, że musieli państwo przyjechać akurat dzisiaj, kiedy publiczność nie dopisała. Pan Childers miał nadzieję, że skoro panna Jason mieszka w tym miasteczku, to jej sztuka przyciągnie więcej widzów. Ale trudno walczyć z upałem.

— Zwykle macie pełną widownię? — chciała wiedzieć Jane.

— Och, bywa lepiej i gorzej. Poprzednia sztuka „Śmiejmy się" wypełniła salę.

— To dobra sztuka — zauważył Robert.

— A kogo grał Christopher Ferris? — spytała Jane.

— Niech sobie przypomnę. A wiem, on był tym młodym dramatopisarzem. Wie pani, ten co huśta się na krzesłach i zajada herbatniki. Ronald Maule, tak się chyba nazywał w sztuce. Och, był bardzo zabawny w tej roli. Widzowie konali ze śmiechu. — Wycierając szklanki, zerknął na zegarek. — Muszę prosić, by państwo kończyli... zamykamy.

— Tak, oczywiście. A przy okazji, jak się dostać za kulisy? Szukamy Emmy Litton.

— Muszą państwo przejść przez widownię i drzwiami po prawej stronie sceny. Proszę uważać na pana Collinsa, kierownika sceny. Nie lubi gości.

— Dzięki — powiedział Robert. — I dobranoc.

Wrócili na widownię. Kurtynę odsunięto na bok, odsłaniając scenę, która bez reflektorów była jeszcze mniej ciekawa niż poprzednio. Jakiś młody chłopak zmagał się z sofą, próbując przesunąć ją na bok. Gdzieś ktoś zostawił otwarte drzwi i cały teatr owiewał duszny podmuch stęchłego powietrza. Dziewczyna sprzedająca programy chodziła wzdłuż rzędów i podnosiła siedzenia, zbierała puste opakowania i pudełka po papierosach.

— Nie ma nic smutniejszego niż pusty teatr — zauważyła Jane.

Ruszyli w stronę sceny. Podeszli bliżej i Robert uświadomił sobie, że samotnie z ciężką sofą mocuje się nie chłopiec, lecz dziewczyna ubrana w stary niebieski sweter i dżinsy.

Kiedy byli już całkiem blisko, zapytał:

— Przepraszam, czy może mi pani powiedzieć...?

Odwróciła się i Robert ze zdumieniem stwierdził, że stoi twarzą w twarz z Emmą Litton.

# 8

Po chwili zaskoczenia Emma zostawiła sofę i wypro-
stowała się. Pomyślał, że jest chyba wyższa i szczuplejsza, a zimne światło sceny nie poprawiało jej wyglądu.
Ręce sterczały niczym patyki spod podwiniętych rękawów, ale najgorsze były włosy. Obcięła je i teraz jej głowa wydawała się mała, wrażliwa, porośnięta czymś podobnym do zwierzęcej sierści.

I była też jak zwierzę czujna. Patrzyła z lękiem, jakby
czekała, aż zrobi pierwszy ruch, powie pierwsze słowo,
zanim sama zorientuje się, w którą stronę uciekać. Robert
wsunął ręce do kieszeni, próbując przybrać swobodny
wygląd i poczuć się swobodnie.

— Witaj, Emmo — powiedział.

Uśmiechnęła się ledwie widocznie.

— Ta sofa — stwierdziła — jest tak ciężka, jakby
wypchali ją ołowiem, a przy okazji urwali kółka.

— Czy nie ma tu nikogo, kto mógłby ci pomóc?
— Podszedł pod samą scenę, tak że patrzył w górę, prosto
na nią. — Jest dla ciebie za ciężka.

— Tak, ktoś tu zaraz przyjdzie.

Zdawało się, że nie wie, co robić z rękami. Wytarła je
o siedzenie dżinsów, jakby były brudne, potem skrzyżo-
wała ramiona w obronnym geście.

— Co tu robisz?

— Przyjechaliśmy zobaczyć „Stokrotki na trawie"...
To jest Jane Marshall. Jane, to Emma.

Uśmiechnęły się do siebie i skinęły głowami, wymruczały „Bardzo mi miło", a potem Emma zwróciła się do
Roberta.

— Czy... wiedziałeś, że tu jestem?

— Nie, ale wiedziałem, że jest Christopher i pomy
ślałem, że może znajdę i ciebie.

— Pracuję tu od paru tygodni. To daje mi jakieś zajęcie.

Robert powstrzymał się od komentarza. Poruszona
jego milczeniem, Emma usiadła nagle na sofie. Ręce opadły jej bezwładnie na kolana.

— Przysłał cię Marcus? — spytała po chwili.

— Nie. Zajrzeliśmy tylko na chwilę. Chcieliśmy
sprawdzić, czy wszystko w porządku...

— Wszystko jest w porządku.

— O której kończysz?

— Za jakieś pół godziny. Muszę opróżnić scenę na
jutrzejszą próbę. A czemu pytasz?

— Pomyślałem, że może moglibyśmy iść do jakiegoś hotelu na przekąskę i drinka. Jane i ja nie jedliśmy
jeszcze kolacji...

— To miło z twojej strony. — Jednak głos nie brzmiał
entuzjastycznie. — Ale rzecz w tym... że zwykle zostawiam w domu coś w piekarniku... potrawkę czy coś
takiego. Inaczej Johnny i Chris w ogóle by nie jadali.
Musimy wrócić albo to się spali.

— Johnny?

— Johnny Rigger. Grał narzeczonego. Wiesz, to ten
drugi chłopak. Mieszka z Christo... i ze mną.

— Rozumiem.

Znowu zapadła cisza. Wyraźnie zakłopotana, Emma walczyła z instynktem gościnności.

— Zaprosiłabym was, gdybyście mieli ochotę, ale mamy tylko parę puszek piwa.

— Lubimy piwo — wtrącił natychmiast Robert.

— A w mieszkaniu jest straszny bałagan. Jakoś nigdy nie ma czasu, żeby je posprzątać. Zwłaszcza teraz, kiedy pracuję.

— Nie szkodzi. Jak się tam dostać?

— Macie samochód?

— Tak. Stoi przed wejściem.

— No więc... Jeśli zaczekacie, to dołączymy do was z Christem. Jeśli chcecie. A potem pokażemy wam drogę.

— Doskonale. A co z Johnnym?

— Och, on wróci później.

— Zaczekamy na was.

Wyjął ręce z kieszeni, odwrócił się, i wraz z Jane ruszyli w górę widowni. Właśnie dotarli do podwójnych drzwi i Robert przytrzymał jedną połowę, by przepuścić Jane, gdy odniósł wrażenie, że na scenie rozpętało się piekło.

— Gdzie u diabła jest ta mała Litton?

Robert obejrzał się i dostrzegł, że Emma podrywa się z sofy, jakby ktoś odpalił pod nią sztuczne ognie, i raz jeszcze próbuje przesunąć ciężki mebel. Na scenę wbiegł niski człowieczek z czarną brodą, podobny do rozwścieczonego pirata.

— Słuchaj, gąsko, mówiłem, żebyś ściągnęła stąd tę cholerną sofę, a nie żebyś na niej spała. Boże, będę wdzięczny, kiedy wróci tamta dziewczyna, a ty się wyniesiesz...

Człowiek musiałby mu przyłożyć albo się wycofać. Ze względu na Emmę Robert wolał się wycofać.

Drzwi zamknęły się za nimi, ale jeszcze usłyszeli:

— ...To idiotka, wszyscy o tym wiemy, ale nikt nie może być bardziej durny niż ty...

— Czarujący — zauważyła Jane, kiedy zeszli po schodach.

Robert nie odpowiadał, ponieważ w białym płomieniu gniewu, który nagle go ogarnął, nie potrafił wykrztusić ani słowa.

— To pewnie pan Collins, kierownik sceny — dodała. — Niezbyt miły zwierzchnik.

Dotarli do wyjścia, zeszli po stopniach, przekroczyli chodnik i wsiedli do samochodu. Zapadał zmrok, na miasteczko opadł delikatny szary zmierzch, ale żar dnia pozostał jeszcze w wąskich tunelach ulic, zatrzymywany przez rozgrzane cegły i bruk. W górze jasno płonął neon teatru, lecz ktoś go wyłączył, nim dotarli do samochodu. Wieczorne przedstawienie się skończyło. Robert wyciągnął papierosy, poczęstował Jane, przypalił jej i sobie. Po chwili trochę się uspokoił.

— Obcięła włosy — powiedział.

— Naprawdę? A jakie miała?

— Długie, ciemne i jedwabiste.

— Ona nie chce, żebyśmy ją dziś odwiedzali. Wiesz o tym, prawda?

— Tak, wiem. Ale musimy. Nie zostaniemy długo.

— I nie cierpię piwa.

— Przepraszam. Może ktoś zrobi ci kawę.


— ...Przecież ta robota nie wymaga nawet śladu mózgu. Największa idiotka, prosto po szkole, zrobiłaby to lepiej od ciebie.

Collinsa wyraźnie poniosło. Rozładowywał napięcie i frustrację z całego dnia, kierując strumień inwektyw na Emmę. Nienawidził jej. Miało to jakiś związek z Christopherem oraz z faktem, że jej ojciec był sławny. Początkowo próbowała się odgryzać, ale teraz wiedziała, że nie warto tamować jadowitej strugi.

Z Collinsem nie dało się wygrać. Po prostu słuchała, robiła swoje i starała się nie okazywać, jak bardzo ją to boli.

— Dostałaś tę robotę, bo potrzebowałem pomocy... O Boże, jaka to pomoc. Nie dostałaś jej dlatego, że Christo się upierał, ani dlatego, że jakiś dureń ma ochotę płacić dwadzieścia tysięcy za czerwone kropki na niebieskim tle w wykonaniu Bena Littona. Ja mam więcej rozsądku, o czym z pewnością już się przekonałaś. Więc nie myśl, że możesz się tu kręcić i przyjmować swoich zarozumiałych przyjaciół... Kiedy następnym razem zniżą się, żeby odwiedzić nasz skromny mały teatrzyk, powiedz im do cholery, żeby poczekali, dopóki nie skończymy pracy. A teraz zabieraj mi z drogi tę piekielną sofę...

Była prawie jedenasta, zanim ją puścił. Christo czekał w gabinecie Tommy'ego Childersa. Drzwi były otwarte i usłyszała, jak rozmawiają. Zapukała, wsunęła głowę i powiedziała:

— Jestem gotowa. Przepraszam, że to tyle trwało.

Christo wstał.

— Nic nie szkodzi. — Zgasił papierosa. — Dobranoc, Tommy.

— Dobranoc, Christo.

— Dzięki za wszystko.

— Nie ma o czym mówić.

Zeszli na dół aż do drzwi sceny. Stykali się ciepłymi ciałami. Było za gorąco na taki kontakt, ale stwierdziła, że to ją uspokaja. Na zewnątrz, w małej alejce prowadzącej na ulicę, zatrzymał się przy koszu na śmieci i zapalił kolejnego papierosa.

— Długo to trwało — powiedział. — Collins się czepiał?

— Był wściekły, bo przyjechał Robert Morrow.

— Robert Morrow?

— Pracuje u Bernsteina, u Marcusa. Jest szwagrem Marcusa. Mówiłam ci. Przyjechał zobaczyć sztukę... I przywiózł swoją dziewczynę.

Christo przyjrzał się jej uważnie.

— Zobaczyć sztukę czy zobaczyć ciebie?

— Myślę, że jedno i drugie.

— Nie może zabrać cię z powrotem. Powiedzieć, że jesteś niepełnoletnia lub coś w tym rodzaju?

— Oczywiście, że nie.

— No to w porządku.

— Tak, chyba tak. Ale, widzisz, jak głupia zaprosiłam ich do nas. To znaczy, nie chciałam ich zapraszać, jakoś tak mi wyszło, i teraz czekają na nas w samochodzie. Christo, strasznie mi przykro.

Zaśmiał się.

— Mnie to nie przeszkadza.

— Nie zostaną długo.

— Nie będzie mi przeszkadzać, jeśli nawet zostaną na noc. Nie rób takiej tragicznej miny.

Wziął ją w ramiona i ucałował w policzek. Pomyślała, że gdyby tylko ten wieczór, a właściwie nieznośnie długi dzień zakończył się tu i teraz, byłaby zadowolona. Bała się Roberta. Była zbyt zmęczona, by z nim rozmawiać, odpowiadać na pytania, unikać wzroku tych czujnych szarych oczu. Była zbyt zmęczona, aby współzawodniczyć z jego przyjaciółką: jasnowłosą, śliczną i niemal nieprzyzwoicie elegancką w granatowej sukni bez rękawów. Była zbyt zmęczona, żeby wysprzątać dla nich mieszkanie, schować gdzieś ubrania, maszynopisy, puste naczynia, a potem otwierać puszki piwa, przygotowywać kawę i wyciągnąć z piekarnika kolację Christa.

Christo potarł brodą jej policzek.

— O co chodzi? — spytał łagodnie.

— Nic.

Nie lubił, kiedy mówiła, że jest zmęczona. On nigdy nie był. Nie wiedział, co znaczy to słowo.

— To był dobry dzień, prawda? — szepnął jej w ucho.

— Tak, rzeczywiście. — Odsunęła się. — Dobry dzień.

Trzymając się za ręce, ruszyli zaułkiem do ulicy. Robert słyszał ich głosy, wysiadł z samochodu i wyszedł im na spotkanie. Pojawiali się i znikali w plamach światła ulicznych latarni. Szli jak zakochani: Emma niosła w ręce sweter, Christo ściskał pod pachą plik kartek, a w palcach trzymał papierosa. Dotarli do samochodu i stanęli.

— Witam — powiedział z uśmiechem Christopher.

— Christo, to jest Robert Morrow i panna Marshall...

— Pani Marshall — poprawiła uprzejmie Jane, przechylając się przez oparcie. — Witaj, Christopherze.

— Przepraszam, że trwało to tak długo — powiedział Christo.

— Emma dopiero teraz mi powiedziała, że tu czekacie. Musiała dokończyć swoją cowieczorną awanturę z Collinsem, więc byliśmy trochę zajęci. Rozumiem, że jedziecie do nas, żeby się napić piwa albo czegoś innego. Obawiam się, że nie mamy niczego mocniejszego.

— Nic nie szkodzi — zapewnił Robert. — Wskaż nam tylko drogę.

— Oczywiście.

Mieszkanie mieściło się w suterenie jednego z szeregu ponurych wiktoriańskich domów, które pamiętały lepsze czasy. Miały strome dachy, witraże i dekoracje z ozdobnych cegieł, ale sama ulica była straszliwie zaniedbana. Zasłony w oknach frontowych pokoi wisiały smutno i nie zawsze były czyste. Wytarte kamienne stopnie prowadziły do pojemników na śmieci, obok których stały jedna czy dwie doniczki zwiędłych pelargonii. Kiedy schodzili do sutereny, usłyszeli wściekły wrzask jakiegoś kota i czarna szczuropodobna plama przemknęła po schodach między ich nogami. Jane krzyknęła cicho.

— Wszystko w porządku — uspokoiła ją Emma. — To tylko kot.

Christo wszedł pierwszy, włączając zimne świetlówki, gdyż mieszkanie — choć umeblowane — nie zostało wyposażone w lampy. Johnny próbował zrobić dwie z pustych butelek po chianti, ale ograniczył się tylko do kupienia wtyczek i ozdobnych kloszy. Pokoje zostały przebudowane, ale ich początkowe przeznaczenie wciąż było smutnie oczywiste: kiedyś funkcjonowały jako kuchnia, spiżarnia i pralnia. Stara ścianka działowa została wyrwana z muru, a powstałą wnękę zapełniono półkami, których jakoś nikomu nie chciało się pomalować. Służyły za skład książek, butów, maszynopisów, papierosów, listów i stosów starych tygodników. Cienkie poduszki leżały na pomarańczowej kapie pokrywającej otomanę, która udawała łóżko. Stały też jeden czy dwa rozklekotane kuchenne stołki, składany stół, a posadzki nie zdołał zakryć wytarty dywan, który dawno wyblakł i stracił więk-

szość wełny. Przypominające mapy plamy wilgoci pokrywały bielone ściany. Brzegi plakatu z korridy zaczy-
nały się już zawijać. Pachniało myszami i pleśnią. W ten
gorący letni wieczór było tu duszno jak w jaskini.

Christo rzucił maszynopis na stolik i otworzył okno,
zabezpieczone jak w więzieniu żelaznymi prętami.

— Przyda się trochę świeżego powietrza. Zamykamy wszystko z powodu kotów. Wszędzie się wcisną.
Czego się napijecie? Jest piwo, jeśli Johnny wszystkiego
nie wypił... a może wolicie kawę. Mamy jakąś kawę,
Emmo?

— Jest trochę rozpuszczalnej. Nie kupuję innej, bo
nie ma jej w czym zaparzyć. Siadajcie... może na łóżku.
Gdzie chcecie. Tu są papierosy...

Znalazła je w pudełku, poczęstowała wszystkich i kiedy Robert podawał ogień, rozejrzała się za popielniczką.
Popielniczki nie było, więc przeszła wykładanym kamien-
nymi płytami korytarzem do kuchni po spodeczki. Zlew
był pełen brudnych talerzy. Przez chwilę nie mogła sobie
przypomnieć, kiedy ich używali, kiedy ostatni raz tu była,
z jak odległej przeszłości pochodziły. Miała wrażenie, że
ranek nastał trzy tygodnie temu. Żaden dzień nie trwał
dłużej. Teraz minęła już jedenasta, a końca jeszcze nie
widać. Mimo wszystko musi dać chłopcom kolację, za-
gotować wodę w czajniku i poszukać otwieracza do
puszek.

Znalazła dwa czyste spodki i wróciła z nimi do reszty
towarzystwa. Christo puścił jakąś płytę. Nie potrafił nic
robić, nawet rozmawiać, bez muzycznego tła. Tym razem
była to Ella Fitzgerald i Cole Porter.

*Za każdym razem, gdy się żegnamy*
*umieram trochę.*

Rozmawiali o „Stokrotkach na trawie".

— ...jeśli potrafisz tchnąć odrobinę życia w taką sztukę — mówiła do Christophera Jane — to jestem pewna, że daleko zajdziesz. — Śmiała się. Emma postawiła spodek i Jane uniosła głowę. — Dziękuję. Czy mogę w czymś pomóc?

— Nie, nie trzeba. Pójdę po szklanki. Napijesz się piwa, czy może wolisz kawę?

— Czy kawa nie sprawi ci kłopotu?

— Nie... ja też się napiję...

Wróciła do kuchni i zamknęła drzwi, by nie słyszeli brzęku talerzy. Zawiązała fartuch i postawiła czajnik. Gaz wybuchnął, jak zwykle, kiedy go zapalała, i jak zwykle przestraszył ją śmiertelnie. Znalazła tacę, filiżanki, spodki, pudełko kawy, cukier i puszki piwa w pudle pod zlewem. Po podłodze chodził karaluch, a Johnny nie wyrzucił śmieci. Wzięła kubeł, by go wynieść, ale wtedy otworzyły się drzwi i stanął w nich Robert Morrow.

Spojrzał na kubeł.

— Gdzie to zabierasz?

— Nigdzie — odparła Emma, wściekła, że dała się przyłapać.

Odwróciła się, by wcisnąć kubeł pod zlew, ale złapał ją za rękę i odebrał, patrząc z niesmakiem na mieszaninę fusów z herbaty, pustych puszek i mokrych papierowych torebek.

— Gdzie to wyrzucić?

— Do pojemnika — poddała się Emma. — Przy drzwiach. Tam gdzie wchodziliśmy.

Poniósł kubeł korytarzem, wyglądając przy tym trochę śmiesznie. Emma wróciła do zlewu. Żałowała, że Robert przyjechał. Nie pasował do Brookford, do teatru ani do tego mieszkania. Nie chciała, żeby się nad nią litował. W końcu nie było ku temu żadnego powodu. Była szczęśliwa, czyż nie? Była z Christem i tylko to się liczyło. A to, jak kierowali swoimi sprawami, nie miało z Robertem nic wspólnego.

Modliła się, by on i jego nieskazitelna przyjaciółka wyjechali, nim nadejdzie Johnny Rigger.

Kiedy Robert wrócił z pustym kublem, Emma przekładała talerze, usiłując sprawiać wrażenie, że jest zajęta. Spojrzała przez ramię.

— Dziękuję — powiedziała chłodno. — Zaraz tu skończę. — Miała nadzieję, że zrozumie aluzję i zostawi ją samą.

Ale nic z tego. Zamknął drzwi, postawił kubeł na podłodze, chwycił Emmę za ramiona i ustawił twarzą do siebie. Miał na sobie nienagannie wyprasowany elegancki garnitur, niebieską koszulę i ciemny krawat. Emma trzymała w jednej ręce ścierkę do naczyń, a w drugiej talerz i z trudem wytrzymywała spojrzenie jego czujnych szarych oczu.

— Wolałabym, żebyś nie przyjeżdżał — powiedziała. — Po co tu się zjawiłeś?

— Marcus się o ciebie martwi. — Odebrał jej ścierkę i talerz, pochylił się i wrzucił do pełnego zlewu. — Może powinnaś dać mu znać, że tu jesteś.

— No cóż... Teraz ty możesz mu powiedzieć, prawda? Robercie, muszę zająć się kuchnią, która jest zresztą za mała dla dwóch osób...

— Naprawdę? — Uśmiechnął się i usiadł na brzegu stołu tak, że ich twarze znalazły się na jednym poziomie. — Wiesz — powiedział — nie poznałem cię dziś wieczorem w teatrze. Dlaczego ścięłaś włosy?

Potrafił być rozbrajający. Emma podniosła rękę i pogładziła szczecinę na szyi.

— Strasznie mi przeszkadzały, kiedy zaczęłam tu pracować. Wpadały do oczu, było mi gorąco, przy ustawianiu dekoracji wiecznie plamiłam je farbą. I nie mam gdzie ich myć. A nawet gdybym miała, to schną całymi godzinami. — Nienawidziła rozmów o swoich włosach, brakowało jej ich ciężaru, swojskości i uspokajającej terapii wieczornego szczotkowania. — Więc obcięła mi je jedna z dziewcząt w teatrze. — Leżały na dywanie jak motek brązowego jedwabiu, a Emma czuła się jak morderczyni.

— Lubisz pracę w teatrze?

Pomyślała o Collinsie.

— Niezbyt.

— A musisz...?

— Nie, oczywiście, że nie. Ale Christo siedzi tam cały dzień, a ja nie mam tu nic do roboty. Brookford jest strasznie nudne. Nie wiedziałam, że istnieją takie nieciekawe miejsca. Więc kiedy tamta dziewczyna dostała zapalenia wyrostka robaczkowego, Christo załatwił mi pracę.

— A co zrobisz, gdy ona wróci?

— Nie wiem. Nie myślałam o tym.

Woda w czajniku zawrzała. Emma szybko zgasiła gaz i postawiła czajnik na tacy.

— Jeszcze chwilę — zatrzymał ją Robert.

Zmarszczyła brwi.

— Chciałam zrobić kawę.

— Kawa może poczekać. Najpierw wszystko sobie wyjaśnijmy.

Emma spoważniała.

— Nie ma nic do wyjaśniania.

— Ależ oczywiście, że jest. Muszę wytłumaczyć Marcusowi, co się wydarzyło. Na przykład jak skontaktowałaś się z Christopherem?

— Zadzwoniłam do niego rano, w tamtą niedzielę. Poszłam do budki i zadzwoniłam. Mieli próbę kostiumową, więc był w teatrze. Widzisz, on już wcześniej prosił mnie, żebym przyjechała do Brookford, ale nie mogłam... Z powodu Bena.

— Rozmawiałaś z nim wtedy rano, zanim przyszedłem się pożegnać?

— Tak.

— I nie powiedziałaś mi?

— Nie. Chciałam zacząć coś od nowa, całkiem nowe życie. I wolałam, żeby nikt o tym nie wiedział.

— Rozumiem. Więc zadzwoniłaś do Christophera...

— Tak, a wieczorem pożyczył samochód od Johnny'ego Riggera, przyjechał po mnie do Porthkerris i przywiózł tutaj. Zamknęliśmy dom, a klucz od pracowni zostawiłam w Sliding Tackle.

— Właściciel nie wiedział, gdzie jesteś.

— Nie mówiłam mu, dokąd jadę.

— Marcus do niego dzwonił.

— Nie powinien. Marcus nie jest za mnie odpowiedzialny. Nie jestem już małą dziewczynką.

— Marcus nie tylko czuje się za ciebie odpowiedzialny, Emmo, ale naprawdę cię lubi i powinnaś zdawać sobie z tego sprawę. Miałaś jakieś wiadomości od Bena?

— Tak, dostałam list w poniedziałek rano, zanim wyjechałam z Porthkerris. I jeden od Melissy... prosili, żebym ich odwiedziła.

— I odpisałaś?

Emma pokręciła głową.

— Nie.

Wstydziła się tego, spuściła głowę i zaczęła się bawić złamanym paznokciem.

— Dlaczego?

Wzruszyła ramionami.

— Nie wiem. Myślę, że nie chciałam im wchodzić w drogę.

— Moim zdaniem nawet to byłoby lepsze niż...

— Objął gestem zaśmieconą kuchnię i całe zaniedbane mieszkanie.

Nie była to najszczęśliwsza uwaga.

— A co ci się tu nie podoba?

— Nie chodzi o to miejsce, ale o ten marny teatr, o tego brodatego szaleńca, który wrzeszczał na ciebie, żebyś przesunęła tę sofę...

— Sam mówiłeś, żebym znalazła jakąś pracę.

— Ale nie taką. Jesteś inteligentna, znasz trzy języki i wyglądasz na osobę w miarę rozsądną. Co to za praca popychać meble w trzeciorzędnym...

— Moja prawdziwa praca to być z Christem!

Po tym wybuchu nastąpiła niezręczna cisza. Ulicą przejechał samochód. Głos Christophera rozległ się w korytarzu na tle cichej muzyki. Zaczął miauczeć kot.

Wreszcie odezwał się Robert.

— Chcesz, żebym powiedział o tym twojemu ojcu?

Emma znowu rzuciła się do ataku.

— Podejrzewałam, że po to przyjechałeś. Szpiegujesz dla Bena?

— Przyjechałem sprawdzić tylko, gdzie jesteś i co się z tobą dzieje.

— Koniecznie przekaż mu wszystkie upiorne szczegóły. Dla nas to nie ma znaczenia, a on i tak nie zwróci uwagi.

— Emmo...

— Nie zapominaj, że to nie jest zwyczajny ojciec, co sam mi często powtarzałeś.

— Emmo, czy możesz mnie wysłuchać!

Ledwie zdążył wymówić ostatnie słowo, kiedy drzwi za nim otworzyły się gwałtownie i rozległ się bełkotliwy, lecz wesoły głos:

— Ależ miło tu sobie gawędzicie.

Robert odwrócił się. W otwartych drzwiach stał młody człowiek, który grał rolę nadętego, sztywnego maklera w „Stokrotkach na trawie". Tylko że teraz nie był już sztywny, a po prostu bardzo pijany. Aby utrzymać równowagę, trzymał się górnej części framugi niczym małpa wisząca na trapezie. Lekko uginające się nogi zwiększały to wrażenie.

— Witaj, skarbie — zwrócił się do Emmy.

Puścił framugę i wtoczył się do małej kuchni. Stała się nieznośnie zatłoczona. Opierając dłonie o stół, pochylił się i pocałował Emmę. Pocałunek był długi i wilgotny, choć jego wargi nie zbliżyły się nawet na piętnaście centymetrów do jej twarzy.

— Mamy gości — zauważył. — A przed domem stoi cholernie wielki samochód. Dodaje klasy tej okolicy.

— Nogi ugięły się pod nim i przez chwilę opierał się jedynie na rękach. Uśmiechnął się szeroko do Roberta.

— Jak ci na imię?

— To jest Robert Morrow — odparła krótko Emma.

— Zrobię ci kawę.

— Nie chcę kawy. Nie chcę kawy. — Zamierzał podkreślić te słowa uderzeniem o stół, ale nogi po raz kolejny odmówiły mu posłuszeństwa. Robert podtrzymał go i ustawił w pionie.

— Dzięki, staruszku. To bardzo uprzejmie z twojej strony. Emmo, co z odrobiną pożywienia? Głodnego nakarmić; z pewnością to znasz. Mam nadzieję, że zaprosiłaś tego miłego Roberta na kolację. W pokoju siedzi też

wyborna blondynka i spokojnie rozmawia z Christopherem. Wiesz coś o niej?

Nikt nie kłopotał się, by mu odpowiedzieć. Emma
podeszła do piecyka, zdjęła pokrywkę z garnka i położyła
ją z powrotem. Johnny Rigger wpatrywał się w jej plecy,
a potem spojrzał na Roberta, najwyraźniej czekając, aż
ktoś wyjaśni mu zawiłe kwestie życia.

Robert nie potrafił wykrztusić ani słowa. Miał ochotę
złapać tego pijaka za kołnierz i gdzieś cisnąć; najlepiej do
śmietnika, gdzie przed chwilą wyrzucił nieprzyjemną zawartość kubła. Potem wróciłby i w ten sam sposób roz-
strzygnął sprawę Emmy: wrzuciłby ją na tylne siedzenie
samochodu i wywiózł do Londynu, Porthkerris, Paryża
— gdziekolwiek, byle dalej od tej paskudnej sutereny, od
teatru i przygnębiająco nudnego miasteczka.

Patrzył na jej upartą sylwetkę, nakazując w myślach,
by odwróciła się przodem do niego. Nie reagowała.
Chuda szyja, ostrzyżona głowa i przygarbione ramiona
— wszystko to powinno budzić w nim współczucie, ale
tylko go irytowało.

W końcu odezwał się oficjalnym tonem:

— To po prostu strata czasu. Myślę, że Jane i ja powinniśmy już wracać.

Emma przyjęła to w milczeniu, ale Johnny zaprote-
stował.

— Ależ musisz zostać, przyjacielu. Zostań i zjedz
coś z nami...

Jednak Robert wyminął go i był już w połowie korytarza. Znalazł tamtych dwoje pogrążonych w rozmowie,
nieświadomych rozgrywanego dramatu.

— Tak, to piękna sztuka — mówił Christopher.
— I co za rola! Można samemu tworzyć, a przy tym ani
razu nie przedobrzyć, nie utrudnić realizacji...

Robert przypomniał sobie z goryczą stary dowcip o aktorach: „A teraz porozmawiajmy o tobie, przyjacielu. Co myślisz o mojej grze?"

— Mam nadzieję, że nie mówicie o „Stokrotkach na trawie"?

Christopher obejrzał się.

— Wielki Boże, nie! O „Śmiejmy się". Co robi Emma?

— Właśnie wrócił twój przyjaciel.

— Johnny? Tak, widzieliśmy, jak przechodził.

— Jest pijany.

— Często mu się zdarza. Wlewamy w niego czarną kawę i kładziemy do łóżka. Rano jest świeży jak skowronek. Właściwie to niesprawiedliwe.

— Czy jest jakiś szczególny powód, dla którego mieszka tu z tobą i Emmą?

Christopher uniósł brwi.

— Jest mnóstwo powodów. To jego mieszkanie. On był tu pierwszy, ja drugi. A Emma zjawiła się w tym gniazdku trzecia.

Rozmowa ucichła. Wyczuwając początek najgorszego typu konfliktu, Jane wtrąciła się taktownie:

— Robercie, robi się późno... — Wzięła torebkę, rękawiczki i wstała z kanapy. — Może powinniśmy już jechać.

— Ale nie napiliście się kawy. Ani piwa czy czegokolwiek. Co robi Emma?

— Stara się podtrzymać pana Riggera — odparł Robert. — Proponuję, żebyś jej pomógł. On nie stoi zbyt pewnie na nogach.

Christopher wzruszył ramionami. Powstał z niskiego krzesła.

— Jeżeli naprawdę musicie już jechać...

— Chyba powinniśmy. Dziękuję za...

Zamilkł. Nie było za co dziękować. Christopher spojrzał z rozbawieniem, więc Jane znów ruszyła Robertowi z pomocą.

— Dziękujemy za wspaniałą grę dziś wieczorem. Nie zapomnimy tego. — Wyciągnęła rękę. — Do widzenia.

— Do widzenia. Do widzenia, Robercie.

— Do widzenia. — Musiał się przemóc, by dodać: — Uważaj na Emmę.

Wracali do Londynu znacznie przekraczając dozwoloną prędkość. Na autostradzie wskazówka prędkościomierza wspinała się coraz wyżej. Sto trzydzieści, sto czterdzieści, sto pięćdziesiąt...

— Narobisz sobie kłopotów — odezwała się Jane.

— Już mam kłopoty — odparł krótko Robert.

— Pokłóciłeś się z Emmą?

— Tak.

— Tak myślałam; jesteś trochę zdenerwowany. O co poszło?

— O wtykanie nosa. Moralizowanie. Wtrącanie się. O próbę zmuszenia tej w zasadzie inteligentnej dziewczyny, by wykazała odrobinę rozsądku. Ona też wyglądała strasznie. Jakby była chora.

— Nic jej nie będzie.

— Kiedy widziałem ją po raz ostatni, była brązowa jak Cyganka, nosiła włosy do pasa i miałem wrażenie, że rozkwita jak smakowity, dojrzały owoc. — Pamiętał, jaką przyjemność sprawił mu pożegnalny pocałunek. — Dlaczego ludzie muszą robić sobie taką krzywdę?

— Nie wiem — przyznała Jane. — Może to z powodu Christophera.

— Jak sobie z nim radziłaś? To znaczy poza tym, że się w nim zakochałaś.

Zignorowała tę uwagę.

— Jest sprytny. Ma wyraźny cel. Jest ambitny. Myślę, że daleko zajdzie. Ale sam.

— Chcesz powiedzieć: bez Emmy?

— Tak bym to określiła.

Nawet o pierwszej w nocy w Londynie ruch nie zamierał. Skręcili na Sloane Street, okrążyli Sloane Square i wjechali w wąską drogę prowadzącą do domu Jane. Robert zatrzymał samochód przed wejściem. Było bardzo cicho. Latarnie oświetlały płyty chodnika, błyszczącą maskę samochodu i lśniące jasne włosy Jane. Robert poczuł się nagle bardzo zmęczony. Sięgnął po papierosa, ale Jane była pierwsza. Wsunęła mu papierosa do ust i przypaliła. W tej właśnie chwili jej ukryte tajemniczo w cieniu oczy stały się dziwnie duże, a niewielki złudny cień jak smuga pojawił się pod dolną wargą.

Zgasiła zapalniczkę.

— To był paskudny wieczór — powiedział. — Przykro mi.

— Zawsze to jakaś odmiana. Było ciekawie.

Ściągnął kapelusz i rzucił na tylne siedzenie.

— Jak myślisz — spytał. — Czy żyją ze sobą?

— Kochanie, skąd mogę wiedzieć?

— Ale ona jest w nim zakochana.

— Tak sądzę.

Milczeli przez chwilę. Potem Robert przeciągnął się po długiej jeździe.

— Nie zjedliśmy w końcu kolacji — powiedział. — Nie wiem jak ty, ale ja jestem głodny.

— Jeśli chcesz, mogę usmażyć jajecznicę. I przygotować dużą szkocką z lodem.

— Kusisz mnie...

Zaśmiali się cicho. Nocny śmiech, pomyślał. Pościelowy śmiech. Objął ją ręką za szyję, wsunął palce we włosy i pochylił się, by pocałować jej usta. Smakowała słodko, świeżo i chłodno. Rozsunęła wargi. Wyrzucił papierosa i przyciągnął ją bliżej.

Po chwili oderwał usta od jej warg.

— Na co czekamy, Jane?

— Na jedno.

Uśmiechnął się.

— To znaczy?

— Na mnie. Nie chcę zaczynać czegoś, co nigdy nie dotrwa do końca. Nie chcę znów cierpieć. Nawet dla ciebie, Robercie, a Bóg wie, jak bardzo cię lubię.

— Nie skrzywdzę cię — obiecał szczerze. Ucałował cień pod jej wargą.

— I proszę — dodała. — Ani słowa o Littonach.

Całował jej oczy i czubek nosa.

— Obiecuję. Ani słowa o Littonach.

Wypuścił ją, wysiedli z samochodu i zamknęli drzwi tak cicho, jak przedtem się śmiali. Jane znalazła klucz, a Robert wziął go i otworzył drzwi do domu. Weszli, Jane włączyła światło i ruszyła wąskimi schodami w górę, a Robert delikatnie zamknął drzwi.

## 9

Jedną z rozkoszy, jakie gwarantował wielki stary dom przy Milton Gardens, było mieszkanie tam latem. Pod koniec ciepłego, dusznego czerwcowego dnia, po frustracjach ślimaczego tempa i zapachu benzyny w czasie jazdy przez Kensington High Street, przejście przez frontowe drzwi domu i zatrzaśnięcie ich za sobą sprawiało niemal fizyczną rozkosz. W domu zawsze było chłodno, pachniało kwiatami i pastą do podłogi, a w czerwcu kasztany kwitły tak gęsto, że liście i różowobiałe kwiaty zasłaniały sąsiednie budynki. Tłumiły też odgłosy ruchu ulicznego i tylko z rzadka jakiś przelatujący w górze samolot naruszał wieczorny spokój.

Dzisiejszy dzień był klasycznym przykładem tej fizycznej ulgi. W powietrzu wisiała burza, a temperatura rosła jednostajnie od rana, w miarę jak gromadziły się chmury. Pod tą posępną atmosferą miasto zlewało się potem. Parki były zakurzone, zdeptana trawa żółta, a powietrze mniej więcej tak odświeżające, jak łyk wody z brudnej wanny. A tutaj Helen ustawiła zraszacze na trawniku i Roberta powitał w progu podmuch słodkiego wilgotnego powietrza, wpadający przez otwarte drzwi na końcu korytarza.

Rzucił kapelusz na krzesło i wziął swoją pocztę.

— Helen? — zawołał.

Nie było jej w kuchni. Przeszedł przez korytarz i zszedł stopniami do ogrodu. Znalazł tam Helen z herbatą, nie czytaną książką oraz koszem do cerowania. Miała na sobie bawełnianą sukienkę bez rękawów i wyblakłe espadryle. Słońce wymalowało na jej nosie spore piegi.

Ruszył do niej przez trawnik, ściągając po drodze marynarkę.

— Przyłapałeś mnie na leniuchowaniu — rzekła.

— To bardzo przyjemne. — Przerzucił marynarkę przez kute z żelaza oparcie ogrodowego krzesła i usiadł obok niej. — Co za dzień! Zostało coś w czajniczku?

— Nie, ale mogę ci zaparzyć.

— Mogę sam to zrobić — odparł odruchowo, choć bez większego entuzjazmu.

Nie odpowiedziała na tę sugestię, po prostu wstała i poszła z czajniczkiem do domu. Na stoliku leżał talerz herbatników. Wziął jednego i rozluźnił krawat. Pod zraszaczami trawa rosła gęsta i zielona. Trzeba będzie ją skosić. Oparł się wygodnie i przymknął oczy.

Minęło sześć tygodni, odkąd odwiedził Brookford i znalazł Emmę Litton. Przez cały ten czas nie miał od niej żadnej wiadomości. Po krótkim sporze z Marcusem i Helen napisał do Bena i przekazał, że Emma mieszka z Christopherem Ferrisem, którego spotkała w Paryżu. Pracuje w teatrze w Brookford. Czuje się dobrze. Szczerze mówiąc, nie mógł powiedzieć więcej. To dziwne, lecz Ben potwierdził odbiór tych informacji — nie bezpośrednio Robertowi, ale w formie nabazgranej notki pod listem do Marcusa. List dotyczył interesów i został napisany na maszynie, na eleganckim ozdobnym papierze Muzeum Sztuk Pięknych im. Ryana. Wystawa Littona dobiegła końca. Pod każdym względem był to znaczący sukces. Rozpoczęły się już przygotowania do nowej wystawy — pośmiertny zbiór rysunków portorykańskiego geniusza, który zmarł na poddaszu w Greenwich Village. On i Melissa skorzystali z okazji, by pojechać do Meksyku. Zamierzał znów zacząć malować, nie wiedział, kiedy wróci do Londynu. Był zawsze oddany. Ben. A niżej, pod podpisem, nieczytelnym charakterem Bena:

*Dostałem list od R. Morrowa. Podziękuj mu. Emma zawsze lubiła Christophera. Mam tylko nadzieję, że jego maniery uległy poprawie.*

Marcus pokazał to Robertowi.

— Nie wiem, czego się spodziewałeś — stwierdził oschle. — Ale nie dostaniesz nic więcej.

Słowem, sprawa skończona. Po raz pierwszy Robert w pełni zgadzał się ze swoją siostrą. Littonowie byli błyskotliwi, nieprzewidywalni i czarujący, ale nie potrafili się przystosować do żadnych norm zachowania i nie chcieli sami sobie pomóc. Byli zatem nie do wytrzymania. Ku swemu zaskoczeniu przekonał się, że łatwo zapomnieć o Emmie. Potrafił usunąć ją z myśli równie bezlitośnie jak walizkę gratów, wepchniętą gdzieś w najciemniejszy zakątek zakurzonego strychu. Życie od razu stało się tak bogate, że pustka, którą pozostawiła, natychmiast wypełniła się ciekawszymi sprawami.

W galerii mieli mnóstwo pracy. Dni upływały na rozmowach z potencjalnymi klientami, zagranicznymi gośćmi i entuzjastycznymi młodymi artystami z teczkami pełnymi ich arcydzieł. Czy Bernstein zorganizowałby im wystawę? Czy Bernstein podtrzymałby płomień nowego talentu? Odpowiedź zwykle brzmiała: „Nie, Bernstein nie jest zainteresowany". Niemniej jednak Marcus był człowiekiem uprzejmym, a jego zasadą było, żeby żaden młody człowiek nie wracał do Glasgow, Bristolu, Newcastle czy gdziekolwiek mieszkał, bez solidnego obiadu w brzuchu i ceny biletu powrotnego w kieszeni zabrudzonych przy pracy dżinsów.

Robert przekonał się, że tryska energią, by spełnić te wymagania. Żywotność nie pozwalała mu zwolnić, nie potrafił sobie wyobrazić, że nic nie robi. Świadomie więc wypełniał wolny czas rozmaitymi zajęciami. Zaskakująco wiele z nich miało związek z Jane Marshall.

Nie przeszkadzał mu fakt, że ich godziny pracy nie zawsze się ze sobą zgadzały. Czasami, wracając z galerii, wpadał do jej małego domku na drinka, a ona, wciąż jeszcze w fartuchu, przyszywała frędzle do całych metrów zasłon albo na kalce technicznej rozpracowywała zawiłe kryzy lambrekinu. Niekiedy wyjeżdżała z miasta, a wtedy wypełniał wieczór pracą fizyczną: kopał ogródek lub kosił trawnik.

W któryś weekend wyjechali z Jane do Bosham, gdzie jej brat miał mały domek i katamaran przycumowany na niespokojnych wodach Hardu. Żeglowali całą niedzielę. Wiał równy wiatr, świeciło słońce. Pod koniec dnia, senni od świeżego powietrza, siedzieli w wiejskim pubie, pili piwo i grali na automatach. Do Londynu wrócili późno. Robert zasunął dach alvisa. Wiatr przesuwał po niebie strzępy chmur.

Kiedyś Helen znowu zaczęła wygłaszać uwagi w stylu: „Uważam, że powinieneś się z nią ożenić".

Robert zignorował nękające go podejrzenie, że może zachowywać się nieładnie.

— Może się ożenię — powiedział wówczas.

— Ale kiedy? Na co czekasz?

Na to nie odpowiedział, bo sam nie miał pojęcia. Wiedział tylko, że nie jest to właściwy czas na określenie czy analizę uczuć, jakie łączyły go z Jane.

Zadumę przerwała mu Helen, która wróciła z herbatą. Ustawiła ją na blacie, a żelazny stolik zgrzytnął na kamieniach, kiedy przysunęła go bliżej.

— Marcus dzwonił w porze lunchu — rzekła.

Marcus musiał wrócić do Szkocji. Szkocki baronet, amator whisky tak chętny do przehandlowania swoich dzieł sztuki, został przekonany przez syna, zapewne dziedzica majątku, by nie sprzedawać wszystkiego od razu. A jeśli nawet, to syn żądał za obrazy trzy razy więcej niż jego spragniony ojciec. Po licznych kosztownych telefonach Marcus uznał, że powinien złożyć mu kolejną wizytę. Interesy są ważniejsze niż osobista wygoda, nawet jeśli dla zdobycia tych obrazów musi spać w wilgotnych łóżkach i lodowatych pokojach, a także żywić się jakimiś obrzydliwymi potrawami. Był gotów do takich poświęceń.

— Jak mu się wiedzie?

— Nie był zachwycony, lecz dość opanowany. Z pewnością rozmawiał z jakiegoś wysokiego holu baronii, gdzie stary laird podsłuchiwał z jednego końca, a młody laird z drugiego.

— Dostał te obrazy?

— Nie, ale dostanie. Jeśli nie wszystkie, to przynajmniej część. — Przeszła kawałek po trawie, by przesunąć zraszacz. — Uparł się na Raeburna — rzuciła przez ramię. — Skłonny jest dać każdą cenę.

Robert nalał sobie herbaty i zaczął przeglądać popołudniową gazetę. Kiedy podeszła Helen, podał jej pismo otwarte na środkowej stronie.

— Kto to jest? — zapytała.

— Dziewczyna. Dinah Burnett...

— Ale kto to jest?

— Powinnaś znać ją z widzenia. To młoda aktorka, która ma bardzo aktywnego agenta. Ile razy otwierasz gazetę czy magazyn, widzisz jej zdjęcie: siedzi na fortepianie, głaszcze kota albo robi coś równie szkaradnego.

Helen wykrzywiła się zabawnie, patrząc na to krykliwe, seksowne zdjęcie i przeczytała głośno podpis.

*Dinah Burnett, rudowłosa piękność, która tak znakomicie zadebiutowała w telewizyjnym serialu „Detektyw", odbywa obecnie próby do nowej sztuki Amosa Monihana „Szklane drzwi", pierwszej poważnej roli w prawdziwym teatrze. „Jestem przestraszona — wyznała naszemu reporterowi — ale i dumna, że wybrano mnie do tej cudownej sztuki". Panna Burnett ma dwadzieścia dwa lata i pochodzi z Barnsley.*

— Nie wiedziałam, że mają wystawiać nowego Amosa Monihana. Kto reżyseruje?

— Mayo Thomas.

— Więc ta dziewczyna musi być dobra. To niezwykłe, że talent może się ukrywać za taką głupią buźką. Ale dlaczego mi to pokazałeś?

— Właściwie bez powodu. Jane dekoruje dla niej mieszkanie. Z początku miała to być skromna praca, ale jak tylko dostała tę rolę, uznała, że musi to być coś bardziej kosztownego. No wiesz, lustrzane ściany w łazienkach i narzuty z białych norek.

— Bardzo ładne — stwierdziła Helen.

Rzuciła mu gazetę na kolana. Był jednak zbyt zgrzany i senny, aby ją złapać, więc zsunęła się na ziemię.

Po chwili Helen odruchowo zebrała naczynia i wzięła tacę, żeby zanieść ją do domu.

— Co z kolacją? — spytała. — Jedziesz do Jane czy zostajesz?

— Jadę do Jane.

— To dobrze. Zjem kawałek sera. I tak jest za gorąco, żeby coś gotować.

Kiedy zniknęła w domu, zapalił papierosa. Siedział słuchając gołębi i patrząc, jak cienie wydłużają się na trawie. Ten chłód i cisza były jak błogosławieństwo. Dopalił, wstał i wrócił do domu. Wszedł po schodach do swojego mieszkania, wziął prysznic, ogolił się i przebrał w dżinsy oraz cienką koszulę.

Przyrządzał sobie pierwszego wieczornego drinka, kiedy zadzwonił telefon. Dolał pół szklanki wody sodowej, podszedł do biurka i podniósł słuchawkę. To była Jane.

— Robert?

— Tak.

— Kochanie, to ja. Chciałam cię uprzedzić, żebyś nie przychodził przed ósmą.

— A co, przyjmujesz kochanka?

— Chciałabym. Nie, to Dinah Burnett ma nowy pomysł na łazienkę. Niech piekło pochłonie jej duszę. Chce przyjść tu po próbie i porozmawiać.

— Jak na dziewczynę tak dumną z tego, że występuje w tej cholernej sztuce, umysł ma zajęty wyjątkowo przyziemnymi sprawami, prawda?

— Więc czytałeś gazetę. Niedobrze mi się robi od tych reklamowych tekstów.

— Nie mam pojęcia, dlaczego nie wspomniała, że urządza sobie mieszkanie, i że wybrała do pomocy znaną dekoratorkę wnętrz, dwudziestosiedmioletnią Jane Marshall, 85-65-88. Spodziewałaś się, że zabiorę cię gdzieś na kolację? Bo nie jestem odpowiednio ubrany.

— Oczywiście, że nie. Jest za gorąco. Mam trochę kurczaka na zimno i zrobię jakąś sałatę.

— A ja przyniosę schłodzoną butelkę wina.

— Cudownie.

— A więc do ósmej.

— Tak, do ósmej. — Miał już odłożyć słuchawkę, kiedy dodała jeszcze raz. — Nie przychodź wcześniej. — I rozłączyła się.

Trochę zdziwiony odłożył słuchawkę na widełki. Stwierdził, że musiał sobie wyobrazić ten ton nacisku w jej głosie. Poszedł po lód do drinka.

Specjalnie trochę się spóźnił, ale mimo to parkując przed domem Jane zauważył małego niebieskiego fiata. Dwa razy nacisnął klakson i wysiadł niosąc butelkę wina. Drzwi otworzyły się niemal natychmiast i w progu stanęła Jane w wyblakłych różowych spodniach i koszulce bez rękawów. Włosy opadały jej na policzki i wyglądała na lekko oszołomioną. Machała wymownie ręką i wskazywała na górę.

Poczuł rozbawienie. Podszedł i pocałował ją.

— O co chodzi? — zapytał.

Wzięła od niego wino.

— Wciąż tu siedzi. Nie chce wyjść. Cały czas gada. A teraz, kiedy przyszedłeś, nic już jej nie ruszy.

— Powiemy, że wychodzimy i że już jesteśmy spóźnieni.

— Może warto spróbować. — Rozmawiali szeptem. Teraz odezwała się głośno i uprzejmie. — Nie byłam pewna, czy to ty. Chodź na górę.

Ruszył za nią wąskimi schodami.

— Dinah, to jest Robert Morrow...

Przedstawiła ich swobodnie i wyszła do kuchni. Robert słyszał, jak zamykają się i otwierają drzwi lodówki, kiedy chowała wino.

Dinah Burnett siedziała na sofie przy otwartym oknie. Podwinęła pod siebie nogi i wyglądała, jakby oczekiwała fotografa, reportera, a może potencjalnego kochanka. Była piękną dziewczyną, dojrzałą, z idealną figurą. Robert pomyślał, że żadna fotografia nie oddaje w pełni jej urody. Miała kasztanowe włosy, bladozielone oczy, morelową cerę i proporcje ciała określane zwykle jako „bujne". Nosiła krótką sukienkę w odcieniu zieleni, pasującym do jej oczu, być może specjalnie zaprojektowaną, by odsłaniała jak najwięcej gładkich zaokrąglonych ramion i nieskończenie długich nóg. Stopy wsunęła w drewniane sandały, na przegubach podzwaniały złote bransoletki, a z uszu, błyszcząc poprzez włosy, zwisały ogromne złote kółka kolczyków. Zęby miała białe i równe, a rzęsy długie i czarne jak sadza. Trudno było uwierzyć, że urodziła się w Barnsley.

— Miło mi — powiedział Robert. Podali sobie ręce.

— Czytałem o pani w wieczornej gazecie.

— Zdjęcie było straszne. — Wciąż zachowała czarujący ślad akcentu z Yorkshire. — Wyglądałam jak porzucona barmanka. Ale i tak sądzę, że lepsze to niż nic.

Uśmiechnęła się do niego. Widok atrakcyjnego mężczyzny uruchomił cały jej kobiecy urok. Taka reakcja pochlebiała Robertowi i budziła w nim sympatię. Usiadł na drugim końcu sofy.

— Nie powinnam tu przychodzić — mówiła dalej — ale Jane urządza dla mnie mieszkanie, a dzisiaj znalazłam takie amerykańskie pismo z cudowną łazienką. Musiałam przyjść tu po próbie, żeby jej to pokazać.

— Jak idzie sztuka?

— Och, to jest naprawdę ekscytujące.

— Jaka jest treść?

— Więc...

W tym momencie Jane wróciła z kuchni i przerwała wesoło:

— Może chcecie drinka? Dinah, wychodzimy dziś z Robertem, ale jest jeszcze czas, żeby się czegoś napić.

— Och, jesteś bardzo miła. Jeśli wam to nie przeszkadza, wypiłabym szklankę piwa.

— A ty, Robercie?

— Brzmi zachęcająco. Przyniosę...

— Nie, w porządku. Skoro już tu stoję... — Otworzyła butelkę piwa i nalała z wprawą, bez piany, do szklanek. — Dinah, Robert handluje dziełami sztuki. Pracuje w Galerii Bernsteina przy Kent Street.

— Och, doprawdy? — Panna Burnett szeroko otworzyła oczy. Wydawała się zainteresowana, choć wcale nie mądrzejsza. — Sprzedaje pan obrazy i inne takie rzeczy...

— Owszem.

Jane podała Dinah piwo, przyciągnęła mały stoliczek i postawiła butelkę.

— Robert jest bardzo energicznym człowiekiem — powiedziała. — Bez przerwy jeździ do Paryża lub Rzymu i załatwia bardzo ważne sprawy, prawda? — Wróciła do barku. — Powinnaś mu pokazać szkic tego mieszkania. Przydałoby ci się coś nowoczesnego nad kominkiem. Zresztą nigdy nic nie wiadomo, to może być inwestycja. Coś, co będziesz mogła sprzedać, gdy skończą się dobre role.

— Nawet o tym nie mów. Dopiero zaczynam. Poza tym czy to nie będzie zbyt kosztowne?

— Nie tak kosztowne jak amerykańska łazienka.

Dinah uśmiechnęła się czarująco.

— Ale zawsze uważałam, że łazienka jest szalenie ważna.

Jane zrobiła sobie drinka. Usiadła na krześle obok sofy, tak że widziała ich oboje poprzez niski stolik.

— No cóż, to twoje mieszkanie — powiedziała.

Jej głos zabrzmiał odrobinę kwaśno. Robert odezwał się szybko.

— Nie opowiedziała mi pani o tej sztuce... „Szklane drzwi". Kiedy premiera?

— W środę. Dokładnie w tę środę. W Regent Theatre.

— Musimy się postarać o bilety, Jane.

— Oczywiście — odparła.

— Na samą myśl o premierze robi mi się niedobrze ze zdenerwowania. To moja pierwsza rola w prawdziwym teatrze. Gdyby nie fakt, że Mayo jest tak znakomitym reżyserem, zrezygnowałabym parę tygodni temu...

— Wciąż nie wiemy, o co tam chodzi.

— No więc... och, sama nie wiem. To o młodym człowieku, ze zwyczajnej robotniczej rodziny, i on pisze książkę i to jest bestseller, więc staje się znaną postacią. Wiecie, telewizja i takie różne. Potem spotyka się z ludźmi od filmu, jest coraz bardziej bogaty i nieprzyjemny. Pije, ma romanse, i w ogóle żyje ponad stan. Oczywiście wszystko to się wali jak domek z kart, i kończy dokładnie tam, gdzie zaczynał, w domu swojej matki, w kuchni, ze starą maszyną do pisania i czystą kartką papieru. Wiem, że to brzmi staromodnie, ale jest wzruszające, życiowe, a dialogi są naprawdę nieziemskie.

— Myśli pani, że sztuka będzie miała powodzenie?

— Nie wiem, jak mogłaby nie mieć. Ale nie jestem obiektywna.

— Jaką ma pani rolę?

— Och, jestem jedną z wielu dziewcząt. Jestem jednak wyjątkowa, gdyż zachodzę w ciążę.

— Czarujące — mruknęła Jane.

— Ale to nie jest plugawe, ani trochę — zapewniła ją Dinah. — Kiedy przeczytałam scenariusz, nie wiedziałam, czy śmiać się czy płakać. Myślę, że takie jest życie.

— Tak. — Jane wypiła drinka, odstawiła pustą szklankę i spojrzała na zegarek. — Robercie, idę się przebrać — rzekła znacząco. — Nie możemy się spóźnić. Będą na nas czekać. — Wstała. — Przepraszam cię, Dinah.

— Ależ drobiazg. Dziękuję, że byłaś taka uprzejma w sprawie tej łazienki. Zadzwonię do ciebie, kiedy podejmę decyzję.

— Tak, koniecznie.

Jane poszła na górę, a Dinah znowu uśmiechnęła się porozumiewawczo do Roberta.

— Mam nadzieję, że was nie zatrzymuję. Pójdę zaraz, jak tylko dopiję piwo. Mieszkam w takiej przygnębiającej ruderze. W dodatku upał jest straszliwy, prawda? Chciałabym, żeby była burza. Po burzy na pewno zrobi się chłodniej.

— Nadejdzie pewnie dziś wieczorem. Proszę mi powiedzieć, jak pani dostała tę rolę?

— Amos Monihan, wie pan, ten, który napisał tę sztukę, widział mnie w telewizji w „Detektywie". Zadzwonił do Mayo Thomasa i powiedział, że nadam się do tej roli. Więc poszłam na próbę. To właściwie wszystko.

— A kto gra główną rolę? Tego młodego człowieka, pisarza?

— To ryzykowna sprawa. Sponsorzy chcieli jakieś znane nazwisko, kogoś sławnego. Ale Mayo znalazł takiego nowego chłopaka, którego widział w jakimś prowincjonalnym teatrze. Zdołał jakoś przekonać tych z pieniędzmi, żeby pozwolili mu spróbować.

— Więc macie kogoś nieznanego w głównej roli?

— Właśnie — potwierdziła Dinah. — Ale może mi pan wierzyć, jest dobry.

Wypiła piwo. Na górze Jane chodziła tam i z powrotem po sypialni, otwierała i zamykała szuflady. Robert odebrał od Dinah pustą szklankę.

— Wypije pani jeszcze?

— Nie, dziękuję. Nie chcę was zatrzymywać. — Wstała, obciągnęła sukienkę i odrzuciła włosy z karku. Przy schodach zawołała:

— Wychodzę. Do widzenia, Jane!

— Do widzenia. — Teraz, kiedy gość naprawdę wychodził, głos Jane zabrzmiał o wiele przyjaźniej.

Dinah zeszła na dół. Robert ruszył za nią, by grzecznie odprowadzić ją do wyjścia. Pochylił się, by ponad jej kasztanowowłosą głową otworzyć zamek frontowych drzwi. Na zewnątrz ulica drzemała w upalnej atmosferze wieczoru.

— Będę trzymał kciuki w środę — obiecał.

— Dzięki.

Wyszli na zewnątrz. Otworzył drzwi fiata.

— Jak nazywa się ten młody aktor? — zapytał.

Dinah wsiadła, odsłaniając nogę wyżej, niż było to zdrowe dla czyjegokolwiek ciśnienia krwi.

— Christopher Ferris — powiedziała.

Więc dlatego Jane nie chciała, bym się z tobą spotkał, pomyślał.

— Christopher Ferris? Znam go.

— Naprawdę? To zabawne.

— A przynajmniej... znałem jego siostrę.

— Nic nie wiem o jego rodzinie.

— Nigdy o niej nie wspominał? O Emmie?

— Ani słowa. Ale chłopcy nieczęsto mówią o swoich siostrach, prawda?

Zaśmiała się i zatrzasnęła drzwi samochodu. Szybę w oknie miała opuszczoną, więc Robert oparł się o nią łokciem, jak domokrążca, który wtyka nogę w drzwi.

— Chciałbym życzyć mu powodzenia — powiedział.

— Przekażę mu to jutro.

— A mógłbym do niego zadzwonić?

— Chyba tak, ale telefony podczas prób nie są mile widziane. — Nagle wpadła na świetny pomysł. — Coś panu powiem: mam gdzieś jego numer domowy. Kiedyś szukałam Mayo i zostawiłam tam wiadomość. — Wzięła torebkę z sąsiedniego siedzenia i zaczęła przerzucać drobiazgi. Wyjęła scenariusz, portmonetkę, chustę, buteleczkę olejku do opalania i kalendarz. Odwróciła kilka stron. — O jest. Flaxman 8881. Zapisać panu?

— Nie, zapamiętam.

— Może być teraz w domu... nie wiem, co robi w wolnym czasie. — Znowu się uśmiechnęła. — Śmieszne, że go pan zna. Świat jest mały, prawda?

— Tak. Świat jest mały.

Uruchomiła silnik.

— Miło mi było pana poznać. Na razie.

Cofnął się.

— Do zobaczenia.

Mały samochodzik odjechał z warkotem. Robert w milczeniu spoglądał, jak się oddala. Zatrzymał się na chwilę na skrzyżowaniu, potem ruszył gwałtownie, skręcił w lewo i zniknął. Szum londyńskich ulic wchłonął głos silnika.

Wrócił do domku, zamknął drzwi i wszedł na górę. W sypialni panowała cisza.

— Jane.

Natychmiast zaczęła się poruszać, jakby była czymś zajęta.

— Jane?

— O co chodzi?

— Zejdź na dół.

— Ale nie jestem...

— Zejdź zaraz.

Po chwili zjawiła się na szczycie schodów, otulona cienkim szlafrokiem.

— O co chodzi?

— O Christophera Ferrisa — wyjaśnił Robert.

Spojrzała na niego z góry. Nagle stała się pochmurna i spięta.

— Co z nim?

— Wiedziałaś, że występuje w tej sztuce. I że przez cały czas był w Londynie.

Zeszła do niego. Kiedy ich twarze znalazły się na jednym poziomie, oznajmiła chłodno:

— Tak, wiedziałam.

— Ale nie powiedziałaś mi o tym. Dlaczego?

— Może dlatego, że nie lubię mieszać w zatęchłych bajorkach. Zresztą obiecałeś. Ani słowa na temat Littonów.

— To nie ma żadnego związku z tą obietnicą.

— Więc dlaczego tak się denerwujesz i przejmujesz? Słuchaj, Robercie, mam wrażenie, że moje poglądy na temat tej sprawy są podobne do poglądów twojej siostry. Galeria Bernsteina reprezentuje Bena Littona i na tym związki z tą rodziną powinny się kończyć. Słyszałam o Emmie, wiem, jakie miała życie i współczuję jej. Pojechałam z tobą do Brookford, zobaczyłam nędzny teatrzyk i potworne mieszkanie. Ale jak sam mówiłeś, jest dorosła i bardzo inteligentna. Co z tego, że Christopher jest w Londynie? To nie znaczy, że Emma została porzucona. To jego praca i z pewnością tak to przyjęła. Jestem przekonana.

— To nadal nie wyjaśnia, dlaczego nic mi nie powiedziałaś.

— Może wiedziałam, że zaczniesz biegać w kółko niczym zwariowany pies pasterski. Będziesz wyobrażał sobie najgorsze i czuł się odpowiedzialny tylko dlatego, że ta smarkula jest córką Bena Littona. Robercie, widziałeś ją. Ona nie chce pomocy. A jeśli spróbujesz, to znaczy, że będziesz się wtrącał...

— Sam nie wiem... — powiedział wolno — czy chcesz przekonać mnie czy samą siebie.

— Ty durniu, chcę ci uzmysłowić prawdę.

— Prawda jest taka, że o ile wiemy, Emma Litton została w wilgotnej suterenie z nałogowym alkoholikiem.

— Przecież sama to wybrała, prawda?

Wyrzuciła z siebie to pytanie, a potem, zanim zdążył odpowiedzieć, minęła go, podeszła do stolika i zaczęła przestawiać puste szklanki i kapsle po piwie, niezręcznie udając, że sprząta. Przyglądał się ze smutkiem jej plecom, gładkim włosom, wąskiej talii i małym sprawnym dłoniom. Była nieugięta.

— Dinah Burnett podała mi numer Christophera. Może lepiej będzie, jeśli od razu do niego zadzwonię.

— Rób, co chcesz.

Jane wyniosła szklanki do kuchni. Robert podniósł słuchawkę i wybrał zapamiętany numer. Jane wróciła, by pozbierać puste butelki.

— Halo? — To był Christopher.

— Christopher? Mówi Robert Morrow. Pamiętasz, przyjechałem do Brookford...

— Zobaczyć się z Emmą. Tak, pamiętam. To wspaniale! Jak mnie znalazłeś?

— Dostałem twój numer od Dinah Burnett. Mówiła też o „Szklanych drzwiach". Gratuluję.

— Wstrzymaj się z gratulacjami, dopóki nie zobaczymy, co powiedzą krytycy.

— Mimo wszystko to wielki sukces. Słuchaj, chciałbym zapytać o Emmę.

Głos Christophera zabrzmiał poważnie.

— Tak?

Jane wróciła z kuchni. Z założonymi rękami stała przy oknie i wyglądała na ulicę.

— Gdzie jest teraz?

— W Brookford.

— W tym mieszkaniu? Z twoim przyjacielem?

— Przyjacielem? A, z Johnnym Riggerem? Nie, on wyjechał. Któregoś ranka przyszedł pijany na próbę i reżyser go wyrzucił. Emma jest sama.

Robert opanował się z wysiłkiem.

— Nie pomyślałeś, żeby zadzwonić do Marcusa Bernsteina lub do mnie i powiadomić nas o tym?

— No cóż, zadzwoniłbym, ale zanim wyjechałem z Brookford, Emma kazała mi obiecać, że tego nie zrobię. Więc sam rozumiesz, że nie mogłem. — Kiedy Robert burzył się w środku, próbując zaakceptować to tłumaczenie, Christopher mówił dalej. Wydawał się nagle młodszy i już nie tak pewny siebie. — Ale powiem ci, co zrobiłem. Głupio się czułem, tak ją zostawiając... więc napisałem do Bena.

— Napisałeś do kogo?

— Do jej ojca.

— Ale, do diabła, co on mógł zrobić? Jest w Ameryce... w Meksyku...

— Nie wiedziałem, że wyjechał do Meksyku, ale napisałem do niego na adres Galerii Bernsteina z prośbą o przekazanie listu. Czułem, że ktoś powinien wiedzieć, co się stało.

— A Emma? Dalej pracuje w teatrze?

— Pracowała, kiedy wyjeżdżałem. Widzisz, nie było sensu, żeby przyjeżdżała ze mną do Londynu. Mamy próby od świtu do zmroku, w ogóle byśmy się nie widywali. Poza tym jeśli „Szklane drzwi" spadną z afisza po tygodniu, będę potrzebował etatu w Brookford. Tommy Childers bardzo uprzejmie zatrzymał go dla mnie. Uznaliśmy więc, że będzie lepiej, jeżeli Emma tam zostanie.

— A jeśli „Szklane drzwi" będą wystawiane przez dwa lata?

— Nie wiem, co wtedy. Ale w tej chwili, wyznam ci szczerze, sytuacja jest troszkę skomplikowana. Dom, w którym mieszkam, należy do mojej matki. Mieszkam z matką. Sam rozumiesz, że to trudna sprawa...

— Tak — powiedział Robert. — Widzę... Jak sam powiedziałeś, sytuacja jest skomplikowana.

Odłożył słuchawkę.

— Co jest takie skomplikowane? — spytała Jane, nie odwracając się od okna.

— Mieszka z Hester, swoją matką. A ona najwyraźniej nie zgadza się, żeby ktoś z Littonów przestąpił jej próg. Głupia stara baba. A tego pijanego współlokatora wyrzucili z pracy, więc Emma jest sama. Żeby ulżyć swemu sumieniu, Christopher napisał o tym wszystkim do Bena Littona. Powinienem przywiązać ich wszystkich do kamienia młyńskiego i wrzucić do bezdennego jeziora.

— Wiedziałam, że do tego dojdzie — stwierdziła Jane. Odwróciła się twarzą do niego. Wciąż miała skrzyżowane ramiona. Zobaczył, że jest nie tylko zła, ale też bardzo niespokojna. — To, co zdarzyło się między nami, mogło być czymś pięknym... wiedziałeś o tym równie dobrze jak ja. Dlatego nie powiedziałam ci o Christopherze. Wiedziałam, że jeśli się dowiesz, wszystko się skończy.

Chciałby móc powiedzieć: „To nie musi być koniec", ale czuł, że to niemożliwe.

— W pewnym sensie, Robercie, przez cały czas dotrzymywałeś obietnicy: nigdy nie wspomniałeś o Emmie. Ale zawsze tkwiła gdzieś w głębi twojego umysłu.

Teraz, kiedy powiedziała to głośno, musiał przyznać, że taka była prawda.

— Tylko dlatego — wyznał zrozpaczony — że w jakiś niezwykły sposób jestem z nią powiązany.

— Jeśli jesteś z nią powiązany, to dlatego, że tego chcesz. A to nie jest dobre, Robercie. Nie dla mnie. Nie zgodzę się na drugie miejsce. Wolę zostać sama. Miałam nadzieję, że wyraziłam się jasno. Muszę mieć wszystko albo nic. Nie chcę przechodzić przez to jeszcze raz.

Rozumiał, ale mógł powiedzieć tylko, że mu przykro.

— Myślę... że powinieneś już pójść.

Trzymała ramiona skrzyżowane jak tarczę ochronną przeciw niemu. Nie mógł się z nią pożegnać. Nie mógł jej pocałować. Nie mógł rzucić jej lekko: „Miło było", jak w tradycyjnej salonowej komedii. I nie mógł jej wybaczyć, że próbowała odgrodzić go od Emmy.

— Pójdę już — powiedział.

— Tak, idź. — Ale kiedy ruszył schodami w dół, coś sobie przypomniała. — Zostawiłeś wino.

— To nieważne — odparł Robert.

Pieśń dobiegła końca. Przygasły światła. Charmian jako Oberon wyszła na brzeg sceny, przygotowując się do końcowej przemowy. Muzyka Mendelssohna z taśmy — uboga budowa brookfordzkiego teatru nie zostawiała miejsca dla orkiestry — przelała się przez mroczną grotę widowni. U Emmy, siedzącej przy biurku suflera, wzbudziła tęsknotę za magią letniej nocy.

*Teraz nim dzień przyśle zorzę*
*Błądźcie, elfy, po tym dworze.*

Kończył się pierwszy tydzień „Snu nocy letniej". Finansowa klęska „Stokrotek na trawie" skłoniła dyrekcję do wystawiania Szekspira. Co prawda od każdego członka zespołu wymagało to zwiększonego wysiłku, ale zapewniało dotacje z Rady Sztuki i pełną widownię, złożoną głównie z uczniów i studentów.

Emma nie pracowała już dla Collinsa. Miał nową asystentkę, dziewczynę po szkole dramatycznej, oddaną, stanowczą i najwyraźniej odporną na jego kolczasty język. Była teraz na scenie w szarej aksamitnej tunice ze srebrzystymi skrzydłami elfa Pajęczynki, ponieważ ogromna liczba postaci „Snu nocy letniej" wymagała, by wystąpił każdy członek zespołu. Z tego powodu Tommy Childers poprosił Emmę, by wróciła i pomogła za kulisami. W ciągu ostatnich dwóch tygodni wykonywała różne prace: pomagała w garderobie, w warsztacie scenografa, przepisywała scenariusz i cały czas biegała po kanapki, papierosy oraz przygotowywała mnóstwo dzbanków herbaty.

Dzisiaj była suflerką. Cały wieczór spędziła wbijając wzrok w tekst sztuki, przerażona, że się pogubi, czegoś nie zauważy, kogoś zawiedzie. Przedstawienie dobiegało końca. Emma znała już resztę na pamięć, mogła się więc trochę rozluźnić i pozwolić sobie na luksus obserwowania sceny.

Charmian nosiła koronę ze szmaragdowych liści, srebrny płaszcz i srebrzyste rajstopy na długich nogach. Pochwycona magią słów publiczność trwała oczarowana, bez tchu.

> *A więc tańczcie, mili,*
> *Nie stańcie ni chwili,*
> *Do mnie, gdy się dzień wychyli!*

Aby poradzić sobie z ograniczoną przestrzenią po bokach sceny, Tommy Childers zbudował zejście prowadzące na środek widowni. Teraz Oberon i Titania z orszakiem elfów schodzili ze sceny po tej rampie zdobionej draperiami powiewającymi jak skrzydła. Opuszczali oświetloną scenę, zagłębiali się szybko i cicho w ciemność na widowni, by zniknąć za podwójnymi drzwiami. Przeszli tak lekko, jakby się rozpłynęli.

Finał pozostał w rękach Sary Rutherford w roli Puka, szpiczastouchego nastolatka. Objęta światłem jednego reflektora, miała scenę tylko dla siebie.

*Gdyśmy zbłądzili, my, cienie,*
*Rzecz się cała wraz ocali...*

Trzymała mały flet. Kiedy dotarła do „Więc dobranoc, mili goście", zagrała na nim krótką melodyjkę, motyw przewodni Mendelssohna.

A potem zawołała trymfująco:

*Klaśnijcie, gdyście łaskawi,*
*A Puk lepiej wnet się sprawi.*

I wreszcie ciemność, kurtyna i oklaski.

Koniec. Emma odetchnęła z ulgą — wszystko się udało. Złożyła tekst sztuki i oparła się wygodnie. Aktorzy wracali na scenę do pierwszego wyjścia przed kurtynę. Chłopak, który grał Spodka, pochylił się do niej przechodząc i szepnął:

— Tommy prosił, żeby ci przekazać, że jakiś facet chce się z tobą widzieć. Przez pół godziny siedział w Zielonej Sali, ale Tommy zabrał go do biura. Uznał, że tam łatwiej będzie wam rozmawiać. Idź i sprawdź, o co chodzi.

— Widzieć się ze mną? Ale kto to jest?

Spodek był już na scenie. Kurtyna poszła w górę, oklaski buchnęły z nową siłą, uśmiechy, ukłony i dygi...

Pierwszą osobą, jaka przyszła jej na myśl, był Christo. Lecz jeśli to Christo, dlaczego Spodek jej tego nie powiedział? Zeszła po drewnianych stopniach i dalej pomostem prowadzącym do schodów za sceną. Przed nią, na końcu krótkiego korytarza, stały otworem drzwi do Zielonej Sali: ukazywały wytartą aksamitną sofę i stare plakaty na ścianach. Gabinet Tommy'ego Childersa mieścił się w tym korytarzu. Drzwi były zamknięte.

Za jej plecami ucichły oklaski, a potem zabrzmiały na nowo przy drugim podniesieniu kurtyny.

Otworzyła drzwi.

Pokój był maleńki, nieco tylko większy od szafy: ledwie wystarczało miejsca na biurko, dwa krzesła i szafkę. Siedział za biurkiem na krześle Tommy'ego, nad chaosem maszynopisów, listów, programów i notatek. Ścianę za jego plecami wypełniały fotografie. Ktoś zrobił mu filiżankę herbaty, ale nie zniżył się, by ją wypić: stała przed nim zimna i nietknięta. Miał na sobie szare spodnie, rdzawą sztruksową kurtkę, ciemnoniebieską koszulę i żółty krawat zawiązany tak luźno, że odsłaniał górny guzik. Był bardziej smagły niż kiedykolwiek, o dziesięć lat młodszy i nieprzyzwoicie atrakcyjny.

Palił długiego amerykańskiego papierosa, a pełna niedopałków popielniczka dowodziła, jak długo już tu czeka. Kiedy weszła, odwrócił się i spojrzał na nią, opierając łokieć na biurku i brodę na kciuku. Za welonem papierosowego dymu jego oczy pozostały ciemne i niezgłębione.

— Co robiłaś tak długo? — zapytał lekko poirytowanym tonem.

Emma była zbyt zdumiona, by wymyślić jakąś sensowną odpowiedź.

— Suflerowałam.

— No dobrze. Wejdź i zamknij za sobą drzwi.

Zrobiła, o co prosił. Oklaski z widowni ucichły. Serce biło jej mocno, choć nie wiedziała, czy to z powodu szoku, radości czy pewnego lęku.

— Myślałam, że jesteś w Ameryce — odezwała się niepewnie.

— Byłem rano. Wróciłem dzisiaj. A wczoraj... myślę, że to było wczoraj, te zmiany daty i strefy czasowe potwornie komplikują życie... Byłem w Meksyku. Tak, wczoraj. W Acapulco.

Emma sięgnęła po krzesło i usiadła na nim ostrożnie, czując, że uginają się pod nią nogi.

— W Acapulco?

— Czy wiesz, że samoloty do Acapulco są malowane w inne kolory? A dalej na południe stewardesy wykonują coś w rodzaju mundurowego striptizu. Fascynujące. — Przyglądał się jej z uwagą. — Zmieniłaś się trochę, Emmo. Już wiem, obcięłaś włosy. Świetny pomysł! Obróć się, obejrzę cię od tyłu. — Posłuchała, lekko odwracając głowę i obserwując go kątem oka. — O wiele lepiej. Nie wiedziałem, że masz tak piękny kształt czaszki. Poczęstuj się.

Przysunął paczkę papierosów. Wzięła jednego, pochylił się i podał jej ogień, osłaniając zapałkę pięknymi dłońmi.

— Sporo listów przepływało Atlantyk — rzucił spokojnie. — Ale żaden od ciebie.

To był wyrzut.

— Tak, wiem.

— Trudno to zrozumieć. Nie żeby mi to specjalnie przeszkadzało, choć muszę przyznać, że byłoby mi miło, gdybym na swój pierwszy chyba w życiu list do ciebie dostał odpowiedź. Ale z Melissą jest inna sprawa. Chciała, żebyś przyjechała do Stanów i zamieszkała z nami, choćby na krótko. Zawsze byłaś chętna do takich wypadów. Co się stało?

— Sama nie wiem. Myślę, że byłam rozczarowana, kiedy nie wróciłeś do domu. A do myśli o twoim małżeństwie musiałam się przyzwyczaić. Kiedy w końcu się z tym pogodziłam, było już za późno na odpowiedź. Każdy dzień jeszcze pogarszał sytuację i czynił ją coraz bardziej niemożliwą. Nie wiedziałam, że jeśli zrobi się coś, z czego człowiek nie jest szczególnie dumny, to coraz trudniej to odkręcić.

Powstrzymał się od komentarza. Palił dalej i obserwował ją.

— Mówiłeś, że nadeszło sporo listów. Kto jeszcze do ciebie pisał?

— Przede wszystkim oczywiście Marcus. W interesach. A potem dostałem dość niezręczny i oficjalny list od Roberta Morrowa. Pisał, że był tutaj obejrzeć jakąś sztukę, wypił drinka z tobą i Christopherem. Nie zrozumiałem jednak, czy przyjechał specjalnie na sztukę, czy do ciebie.

— No tak...

— Gdy tylko zrozumieliśmy, że nadal żyjesz, jesteś zajęta i nie masz zamiaru nas odwiedzić, wylecieliśmy z Melissą tym kolorowym samolotem do Meksyku. Zatrzymaliśmy się u takiej szalonej podstarzałej gwiazdy filmowej, która mieszka w domu pełnym papug. Wczoraj wróciliśmy do Queenstown. I wiesz, co tam na mnie czekało? Kolejny list.

— Od Roberta?

— Nie, od Christophera.

Nie mogła się powstrzymać.

— Od Christophera?

— Musi być wyjątkowo utalentowanym młodzieńcem. Rola w Londynie, tak szybko, przy tak niewielkim doświadczeniu. Oczywiście zawsze wiedziałem, że czeka go w życiu sukces. Albo skończy w więzieniu.

Nawet ta prowokacja nie zdołała jej zirytować.

— Naprawdę? Christopher napisał do ciebie?

— Mówisz takim tonem, jakby było to niemożliwe.

— Ale dlaczego?

— Można tylko przypuszczać, że czuł się trochę odpowiedzialny.

— Ale... — W głowie formowała się jakaś myśl. Podejrzenie tak cudowne, że jeśli nie było prawdziwe, należało to rozstrzygnąć natychmiast. — Nie wróciłeś chyba do domu z powodu tego listu? Wróciłeś, żeby malować. Pojedziesz do Porthkerris, żeby znowu malować?

— Cóż, oczywiście, na dłuższą metę, istotnie. W Meksyku znalazłem inspirację. Mają tam taki niezwykły róż, który pojawia się na budynkach i obrazach. Nawet w ubraniach...

— Może miałeś dość Queenstown i Ameryki — upierała się. — Nigdy nie udawało ci się pozostać w jednym miejscu dłużej niż parę miesięcy. I oczywiście będziesz musiał zobaczyć się z Marcusem, pomyśleć o nowej wystawie.

Spojrzał na nią, nie rozumiejąc.

— Skąd ten katalog motywów?

— Musi być jakiś powód.

— Właśnie ci powiedziałem. Przyjechałem zobaczyć się z tobą.

Nie chciała już papierosa. Pochyliła się, zgasiła go, a potem złożyła ręce na kolanach, mocno ściskając dłonie i splatając palce. Błędnie interpretując jej milczenie, Ben zrobił rozczarowaną minę.

— Mam wrażenie, że chyba nie do końca rozumiesz sytuację. Dosłownie przyleciałem z Meksyku, przeczytałem list Christophera, ucałowałem Melissę na pożegnanie i poleciałem znowu. Nie miałem nawet czasu, żeby zmienić koszulę. Spędziłem w samolocie dwanaście godzin przerywanych niejadalnymi posiłkami, które smakowały jak plastyk. Czy sądzisz, że zniósłbym takie tortury, żeby tylko porozmawiać z Marcusem o nowej wystawie?

— Ale...

Jednak już się rozpędził i nie pozwolił sobie przerwać.

— A kiedy przyleciałem, czy poszedłem do Claridges, gdzie Melissa przewidująco wysłała telegram i zarezerwowała mi pokój? Czy wziąłem kąpiel, wypiłem drinka i zjadłem coś porządnego? Nie. Wsiadłem do najwolniejszej taksówki po tej stronie Atlantyku i przez potworną ulewę dotarłem do Brookford. — Ostatnie słowo wypowiedział tak, jakby było niesmaczne. — Niezliczoną ilość razy gubiłem drogę, ale w końcu trafiłem do tego teatru. Taksówka czeka na zewnątrz, a licznik wybija jakąś potworną kwotę. Jeśli mi nie wierzysz, możesz wyjrzeć i sprawdzić.

— Wierzę ci — zapewniła szybko Emma.

— Kiedy wreszcie łaskawie się pojawiasz, potrafisz mówić tylko o Marcusie Bernsteinie i jakiejś hipotetycznej wystawie. Wiesz co? Jesteś niewdzięcznym bachorem. Typowym przykładem młodej generacji. Nie zasługujesz na ojca.

— Przecież byłam już wcześniej sama. Żyłam samotnie przez całe lata: w Szwajcarii, we Florencji i w Paryżu. Nigdy mnie nie odwiedzałeś.

— Bo wtedy nie byłem ci potrzebny — odparł sucho Ben. — Wiedziałem, co robisz i z kim przebywasz. Tym razem, gdy przeczytałem list od Christophera, poczułem pierwsze słabe drgnienie troski. Może dlatego, że Christopher nigdy w życiu by do mnie nie napisał, gdyby sam się nie martwił. Dlaczego nie powiedziałaś, że spotkałaś go w Paryżu.

— Myślałam, że nie będziesz z tego zadowolony.

— To zależy, jakim człowiekiem stał się przez ten czas. Bardzo się różni od tego małego chłopca, który mieszkał z nami w Porthkerris?

— Wygląda podobnie... ale jest wysoki... jest teraz mężczyzną. Uczciwy, ambitny i może trochę egocentryczny. I czarujący, jak nikt na świecie. — Rozmawiając o nim z Benem, czuła się tak, jakby ktoś zdjął jej z ramion wielki ciężar. Uśmiechnęła się. — Podziwiam go — oświadczyła.

Ben przyjął tę wypowiedź z uśmiechem.

— Przypominasz mi Melissę, która mówi o Benie Littonie. Widzę, że młody Christopher i ja mamy jednak wiele wspólnego. To ironiczne, że straciliśmy tyle lat pogardzając sobą nawzajem. Może powinienem poznać go od nowa. Tym razem powinno pójść lepiej.

— Tak. Myślę, że tak.

— Melissa przyleci tu za tydzień lub dwa. Pojedziemy do Porthkerris.

— Zamieszkacie w domku? — spytała niedowierzająco Emma.

— Melissa w domku? Chyba żartujesz. Zarezerwowała już apartament w Castle Hotel. Będę prowadził życie złotej rybki w akwarium, ale może na stare lata tryb życia sybaryty zacznie odsłaniać swoje uroki.

— Nie miała pretensji? O to, że tak szybko poleciałeś do domu? Pocałowałeś ją i poleciałeś, nawet nie zmieniając koszuli.

— Emmo, Melissa jest mądrą kobietą. Nie próbuje pochwycić mężczyzny ani nim zawładnąć. Wie, że najlepszą metodą, by zatrzymać przy sobie kogoś, kogo się kocha, jest uwalniać go bardzo delikatnie. Zrozumienie tej prawdy zajmuje kobietom dużo czasu. Hester nigdy się to nie udało. A tobie?

— Jeszcze się uczę.

— Najdziwniejsze jest to, że ci wierzę.

Podczas ich rozmowy powoli zapadł zmrok. Pogłębiał się niezauważalnie, aż twarz Bena z tej niewielkiej odległości, która ich dzieliła, przeobraziła się w niewyraźną plamę, a jego włosy w białe skrzydło. Na biurku stała lampka, ale żadne z nich nie próbowało jej zapalić. Otulał ich zmierzch, a zamknięte drzwi nie dopuszczały światła. Byli Littonami, rodziną; razem.

Tymczasem za kulisami teatru rozbrzmiewały zwyczajne odgłosy. Ostatnie podniesienie kurtyny. Krzyki: Collins wymyślający jakiemuś nieszczęsnemu elektrykowi. Czyjeś stopy biegnące po schodach do garderoby, by jak najszybciej załatwić wszystkie sprawy: uwolnić się od kostiumu i charakteryzacji, a potem złapać autobus, wrócić do domu, ugotować coś, wyprać skarpetki i może się kochać. Ktoś przechodził tam i z powrotem z Zielonej Sali. „Kochanie, masz papierosa? Gdzie jest Delia? Czy ktoś widział Delię? Nie było do mnie telefonów?"

Odgłosy cichły z wolna, kiedy dwójkami i trójkami zespół opuszczał teatr. Najpierw schodzili po kamiennych schodkach, potem przez wahadłowe drzwi i wąski zaułek. Ruszył samochód. Ktoś zaczął gwizdać.

Nagle za plecami Emmy otworzyły się drzwi i miękką ciemność rozciął prostokąt żółtego światła.

— Przepraszam, że przeszkadzam... — To był Tommy Childers. — Może włączyć światło? — Pstryknął przełącznikiem, a Ben i Emma znieruchomieli, mrugając oczami jak para zaspanych sów. — Chciałem wziąć coś z biurka, zanim wyjdę do domu.

Emma wstała i odsunęła krzesło.

— Tommy, wiedziałeś, że to mój ojciec?

— Nie byłem pewien. — Tommy uśmiechnął się do Bena. — Myślałem, że mieszka pan w Ameryce.

— Wszyscy tak myśleli. Nawet moja żona tak myślała, zanim się z nią nie pożegnałem. Mam nadzieję, że nie przeszkodziliśmy zbytnio, siedząc tak długo w pańskim gabinecie.

— Ależ skąd. Jedyny problem to strażnik; trochę się denerwuje z powodu drzwi za kulisy. Powiem, że je zamkniesz, Emmo.

— Tak, oczywiście.

— No cóż... dobranoc, panie Litton.

Ben podniósł się.

— Pomyślałem, że zabiorę dziś Emmę do Londynu. Nie będzie to panu przeszkadzać?

— Ależ skąd — odparł Tommy. — Przez ostatnie dwa tygodnie tyrała jak niewolnica. Przyda jej się parę dni wolnego.

— Nie wiem, czemu pytasz Tommy'ego — wtrąciła Emma — skoro nie spytałeś przedtem mnie.

— Ciebie o nic nie pytam — oświadczył Ben. — Ciebie informuję.

Tommy zaśmiał się.

— W takim razie — powiedział do Emmy — spodziewam się, że będziesz na premierze.

Ben nie zrozumiał.

— Premierze? — spytał.

Emma oświeciła go oschłym tonem.

— Chodzi mu o rolę Christophera. W środę.

— Tak szybko? Będę już wtedy w Porthkerris. Może przyjedziemy.

— Powinien pan to zobaczyć — powiedział Tommy. Podali sobie ręce. — Bardzo się cieszę, że mogłem pana poznać. Emmo... zobaczymy się jeszcze.

— Może za tydzień, jeśli „Szklane drzwi" zrobią klapę...

— Na pewno nie — stwierdził Tommy. — Jeśli to, co zrobił Christo w „Stokrotkach na trawie", ma o czymkolwiek świadczyć, będą wystawiać tę sztukę tak długo jak „Pułapkę na myszy". Nie zapomnij zamknąć drzwi.

Zszedł po schodach; słyszeli, jak jego kroki cichną w zaułku pod oknem, oddalając się w stronę ulicy. Emma westchnęła.

— Myślę, że powinniśmy jechać. Nocny strażnik dostanie wstrząsu na myśl, że teatr nie jest odpowiednio pozamykany. A ten twój taksówkarz albo straci nadzieję, że cię jeszcze zobaczy, albo umrze ze starości.

Jednak Ben ponownie usiadł na krześle Tommy'ego.

— Za chwilę. Jest jeszcze jedna sprawa. — Wyciągnął z pudełka kolejnego amerykańskiego papierosa. — Chciałem zapytać cię o Roberta Morrowa.

Powiedział to niepokojąco obojętnym głosem. Nigdy nie zmieniał tonu ani fleksji i dlatego cały czas człowieka zaskakiwał. Każdy nerw w ciele Emmy zadrżał ostrzegawczo, ale odparła dość obojętnie:

— A co z nim?

— Zawsze miałem... dobrą opinię o tym młodym człowieku.

Próbowała zażartować.

— Poza podziwianiem kształtu jego głowy?

Zignorował to.

— Spytałem raz, czy go lubisz, a ty odparłaś, że go prawie nie znasz.

— I co z tego?

— Czy teraz znasz go lepiej?

— Tak, myślę, że tak.

— Kiedy zjawił się w Brookford, nie przyjechał po prostu do teatru, prawda? Przyjechał zobaczyć ciebie.

— Przyjechał mnie znaleźć. To nie jest dokładnie to samo.

— Ale zadał sobie trud, by cię odszukać. Zastanawiam się dlaczego.

— Może skłoniło go słynne poczucie odpowiedzialności Bernsteinów.

— Skończ z tą szermierką.

— A co właściwie mam powiedzieć?

— Chcę, żebyś powiedziała prawdę. I była wobec siebie uczciwa.

— A dlaczego sądzisz, że nie jestem?

— Ponieważ twoje oczy przygasły. Ponieważ zostawiłem cię w Porthkerris kwitnącą, brązową jak Cyganka. Ponieważ widzę, jak siedzisz, jak chodzisz, jak wyglądasz. — Zapalił papierosa, złamał zapałkę i starannie umieścił ją w popielniczce. — Może zapomniałaś, że obserwuję ludzi, analizuję ich osobowości i maluję ich przez więcej lat niż ty chodzisz po świecie. I to nie Christopher uczynił cię nieszczęśliwą. Praktycznie sama mi to powiedziałaś.

— Może to ty?

— Bzdura. Ojciec? Mogłem cię rozgniewać. Zranić lub obrazić. Ale nie złamać ci serce. Opowiedz mi o Robercie. Co poszło nie tak?

Mały pokoik stał się nagle nieznośnie duszny. Emma wstała, podeszła do okna i otworzyła je na oścież. Oparła się o parapet i głęboko wdychała chłodne, wilgotne po deszczu powietrze.

— Myślę, że nigdy nie próbowałam zrozumieć, jakim naprawdę jest człowiekiem — powiedziała.

— Nie wiem, o co ci chodzi.

— Wiesz... spotkałam go pierwszy raz właśnie tam. I od początku wszystko się źle potoczyło. Nie myślałam o nim jak o osobie z życiem prywatnym, która normalnie funkcjonuje, ma swoje sympatie i antypatie... kochanki. Był częścią Galerii Bernsteina, tak jak jest nią Marcus. Był tam, żeby o nas dbać: przygotowywać wystawy, realizować czeki, rezerwować pokoje w hotelach, pilnować, żeby życie, przynajmniej dla Littonów, toczyło się bez zgrzytów. — Odwróciła się i zmarszczyła brwi, zaskoczona nagłym olśnieniem. — Jak mogłam być taką idiotką?

— Pewnie odziedziczyłaś to po mnie. A co przerwało tę szczęśliwą iluzję?

— Sama nie wiem. Różne rzeczy. Przyjechał do Porthkerris, żeby obejrzeć obrazy Pata Farnaby'ego i poprosił mnie, żebym pojechała z nim do Gollan, bo nie znał drogi. Padał deszcz, pogoda była burzliwa. Miał taki gruby luźny sweter. Śmialiśmy się. Sama nie wiem, ale było przyjemnie. Mieliśmy zjeść razem kolację... ale on... nieważne, rozbolała mnie głowa, więc w końcu nie poszłam. Potem wyjechałam do Brookford zamieszkać z Christo i nie myślałam o Robercie aż do tego wieczoru, kiedy zjawił się w teatrze. Sprzątałam scenę i nagle odezwał się tuż za mną. Obejrzałam się, a on stał tam z dziewczyną, z Jane Marshall. Jest dekoratorką wnętrz czy kimś takim, równie utalentowanym. Jest śliczna, odniosła sukces i tak bardzo wydawali się parą. Wiesz, o co mi chodzi? Opanowani, samowystarczalni i... razem. Poczułam się tak, jakby ktoś zatrzasnął mi drzwi przed nosem i zostawił mnie na zimnie.

Odwróciła się od okna, podeszła do biurka i usiadła na blacie plecami do ojca. Wzięła gumową opaskę i zaczęła się nią bawić, strzelając z niej jak z procy między palcami.

— Pojechali z nami do mieszkania na piwo, kawę czy coś jeszcze. Wszystko poszło okropnie. Pokłóciłam się strasznie z Robertem i on po prostu wyszedł bez pożegnania, zabierając Jane Marshall. Wrócili do Londynu i wyobrażam sobie, że... — rozpaczliwie próbowała utrzymać lekki ton. — Że żyli razem długo i szczęśliwie. W każdym razie od tego czasu go nie widziałam.

— Więc dlatego nie pozwoliłaś, żeby Christopher powiadomił go, że zostałaś sama?

— Tak.

— Czy kochał tę dziewczynę?

— Christo uważał, że tak. Mówił, że była wspaniała. Stwierdził, że jeśli Robert się z nią nie ożeni, to powinien iść do psychiatry.

— A o co się pokłóciliście?

Emma prawie nie pamiętała. We wspomnieniach drażniło ją to jak gramofonowa płyta odtwarzana od tyłu z maksymalną głośnością. Wymiana okrzyków, bezsensownych, raniących i wspominanych z niechęcią.

— O wszystko. O ciebie. Że nie odpowiedziałam na twój list. I o Christa. Stwierdził chyba, że Christo i ja kochamy się na zabój. Zanim w ogóle poruszył ten temat, byłam już wściekła i nie miałam ochoty wyprowadzać go z błędu.

— Może to była pomyłka.

— Tak, może była.

— Chcesz tu zostać? W Brookford?

— Nie mam dokąd pójść.

— Jest jeszcze Porthkerris.

Emma obejrzała się i uśmiechnęła.

— Z tobą? W domku?

— Czemu nie?

— Z tysiąca powodów. Prowadzenie tatusiowi domu nigdy niczego nie rozwiązuje. Poza tym i tak nie można uciec od tego, co człowiek ma w głowie.

Wreszcie był w drodze. Okłamywanie się i niepokój sześciu tygodni dobiegł końca. Alvis — jak wracający do domu łowca — pędził na zachód, przez skrzyżowanie Hammersmith i na autostradę M4. Robert ustawił się na najszybszym, zewnętrznym pasie i przezornie utrzymywał wskazówkę prędkościomierza na setce. W tym stanie zatrzymanie przez policyjny patrol byłoby nie do zniesienia. Gdy zbliżał się do lotniska Heathrow, pierwszy grzmot gromu rozerwał ciężką atmosferę. W ostatniej chwili zatrzymał się na parkingu i zamknął dach. Kiedy wrócił na drogę, duszny wieczór wybuchł jak wulkan. Wicher gwałtownie dmuchnął z zachodu, pędząc przed sobą czarne burzowe chmury. Wreszcie spadł deszcz. Była to niemal eksplozja wody; całe strumienie chlustały z nieba niczym monsun, za którym wycieraczki ledwo mogły nadążyć. Po kilku sekundach powierzchnia drogi spływała wodą, odbijając jaskrawe pasma błyskawic rozcinających niebo.

Przez chwilę pomyślał, że może lepiej byłoby się zatrzymać i przeczekać najgorszą nawałnicę. W tej chwili jednak silniejsze od zdrowego rozsądku było uczucie ulgi, że wreszcie robi to, czego podświadomie pragnął od tygodni. Dlatego jechał dalej, a wielki łuk autostrady wyginał się ku niemu, z rykiem przesuwał pod kołami i pryskał na boki falą wody, stawał się przeszłością odrzuconą i zapomnianą razem z niezdecydowaniem dnia wczorajszego.

Teatr był już zamknięty. Przy świetle latarni odczytał plakat. SEN NOCY LETNIEJ. Ciemne porzucone miejsce wyglądało tak posępnie, jak niegdyś sala misyjna. Okratowane drzwi były zaryglowane, a wszystkie okna ciemne.

Wysiadł z samochodu. Było już chłodniej, sięgnął więc na tylne siedzenie, wyjął sweter leżący tam od weekendu w Bosham i wciągnął go na koszulę. Zatrzasnął drzwi i dostrzegł samotną taksówkę czekającą przy krawężniku. Szofer drzemał nad kierownicą. Równie dobrze mógł nie żyć.

— Jest tam ktoś?

— Na pewno, szefie. Czekam na zapłatę.

Robert przeszedł chodnikiem aż do wąskiego zaułka, którym dawno temu nadeszli Emma z Christopherem. Szli jak kochankowie, obejmując się ramionami. Z tej strony ponurego budynku okno na pierwszym piętrze płonęło jasnym światłem.

Ruszył dalej zaułkiem, potknął się o kosz na śmieci, znalazł otwarte drzwi. Wewnątrz dostrzegł prowadzące w górę kamienne stopnie, słabo oświetlone lampą na podeście pierwszego piętra. Poczuł charakterystyczny zapach teatru: kredy, farby olejnej, wilgotnego aksamitu. Z góry dobiegał cichy pomruk głosów. Wszedł na piętro, znalazł krótki korytarzyk i drzwi z tabliczką REŻYSER, uchylone i obramowane jasnym światłem.

Pchnął je i głosy ucichły nagle. Stał na progu małego ciasnego gabinetu i spoglądał w zdumione twarze Bena i Emmy Litton.

Emma siedziała na biurku plecami do ojca i twarzą do Roberta. Miała na sobie krótką sukienkę, uszytą prosto jak kombinezon. Spod niej wystawały długie opalone nogi. Pokój był tak mały, że kiedy stał w progu, miał ją na odległość ramienia. Gdyby chciał, mógłby wyciągnąć rękę i jej dotknąć. Przyszło mu na myśl, że nigdy nie wyglądała piękniej.

Ulga i radość na jej widok były tak ogromne, że zdumienie obecnością Bena Littona nie miało już znaczenia. Ben również zachował spokój.

— A niech mnie! Popatrz, kto się zjawił.

Robert wbił ręce w kieszenie.

— Myślałem... — zaczął.

Ben uniósł dłoń.

— Wiem. Myślałeś, że jestem w Ameryce. Ale tam mnie nie ma. Jestem w Brookford. Im szybciej się stąd wydostanę i wrócę do Londynu, tym lepiej.

— Ale kiedy...?

Ben zgasił papierosa, wstał i przerwał mu bezlitośnie:

— Nie zauważyłeś przypadkiem taksówki przed teatrem?

— Owszem. Szofer wygląda, jakby skamieniał nad kierownicą.

— Biedaczysko. Muszę iść i go uspokoić.

— Mam tu samochód. Jeśli pan chce, odwiozę pana do Londynu.

— To nawet lepiej. Zapłacę mu.

Emma nawet nie drgnęła. Ben przecisnął się obok biurka, a Robert odsunął się, by go przepuścić.

— Przy okazji, Robercie. Emma też jedzie. Znajdzie się dla niej miejsce?

— Ależ oczywiście.

W drzwiach spojrzeli sobie w oczy. Ben z satysfakcją kiwnął głową.

— Doskonale — powiedział. — Zaczekam na was na zewnątrz.

— Wiedziałaś, że przyjeżdża?

Emma pokręciła głową.

— Czy miało to związek z listem, który napisał do niego Christopher?

Przytaknęła.

— Przyleciał dzisiaj ze Stanów, żeby sprawdzić, czy u ciebie wszystko w porządku?

Emma znów kiwnęła głową. Oczy jej błyszczały.

— Był z Melissą w Meksyku, ale przyjechał prosto tutaj. Nawet Marcus nie wie, że jest w kraju. Nie był jeszcze w Londynie. Wziął taksówkę z lotniska do Brookford. I nie był zły o Christophera. Powiedział, że jeśli chcę, mogę wrócić z nim do Porthkerris.

— A chcesz?

— Och, Robercie. Nie mogę przez całe życie powtarzać tych samych błędów. Zresztą to był także błąd Hester. Obie chciałyśmy, żeby Ben dopasował się do naszego wyobrażenia miłego, porządnego męża i udomowionego ojca. Było to równie mało realistyczne jak przyzwyczajenie pantery do życia w klatce. Kiedy się nad tym zastanowić, to jakże smętne są pantery w klatkach! Poza tym Ben nie jest już moim problemem. To sprawa Melissy.

— Więc co teraz znajduje się na samym dole długiej listy priorytetów?

Emma wykrzywiła się złośliwie.

— Wiesz, Ben powiedział kiedyś, że masz szlachetną głowę. Powinieneś zapuścić brodę, a wtedy by cię namalował. A gdybym ja chciała cię namalować, miałbyś taki wielki dymek wychodzący z ust, z napisem: „A nie mówiłem".

— Nigdy w życiu nikomu czegoś takiego nie powiedziałem. I z pewnością nie przyjechałem tu dzisiaj, żeby to powiedzieć.

— A co chciałeś powiedzieć?

— Że gdybym wiedział, że została sama, byłbym tu już parę tygodni wcześniej. Że jeśli zdobędę dwa bilety na premierę Christa, to chciałbym, żebyś poszła ze mną. I przykro mi, że wtedy na ciebie krzyczałem.

— Ja też na ciebie krzyczałam.

— Nienawidzę się z tobą kłócić, ale życie z daleka od ciebie jest tysiąc razy gorsze. Powtarzałem sobie, że to coś, co się skończyło i lepiej o tym zapomnieć. Mimo to przez cały czas tkwiłaś gdzieś w głębi mojego umysłu. Jane zdawała sobie z tego sprawę. Dziś wieczór powiedziała mi, że wiedziała przez cały czas.

— Jane...?

— Wstyd się przyznać, ale okropnie ją dręczyłem, próbując wypchnąć z myśli prawdę.

— Wiesz, że ja z powodu Jane kazałam Christopherowi obiecać, że do ciebie nie zadzwoni. Myślałam...

— A ja z powodu Christophera nie wróciłem do Brookford.

— Myślałeś, że mamy romans?

— A co innego mogłem pomyśleć?

— Ależ głuptasie, Christopher jest moim bratem.

Robert ujął głowę Emmy w dłonie, wsunął kciuki pod brodę i uniósł lekko jej twarz. Zanim ją pocałował, powiedział:

— A skąd, do diabła, miałem o tym wiedzieć?

Kiedy wrócili do samochodu, po Benie nie było nawet śladu. Zostawił jednak wsuniętą pod wycieraczkę wiadomość.

— Jak mandat za parkowanie — zauważyła Emma.

Był to niekonwencjonalny list, napisany na kartonie rysunkowym ze szkicownika Bena. Rozpoczynał się maleńkim szkicem dwóch zwróconych do siebie profilów.

Nie sposób było nie rozpoznać jej stanowczego podbródka i wspaniałego nosa Roberta.

— To my. To dla nas obojga. Czytaj głośno.

Robert przeczytał:

*Taksówkarz był załamany, że musi wracać do Londynu samotnie. Dlatego postanowiłem mu towarzyszyć. Będę w Claridges, ale wolałbym, żeby do jutra w południe mi nie przeszkadzano.*

— Ale jeśli dopiero jutro mogę się zjawić w Claridges, to gdzie mam się podziać?

— Powinnaś wrócić ze mną do domu, do Milton Gardens.

— Przecież nie mam rzeczy. Nie mam nawet szczoteczki.

— Kupię ci szczoteczkę — obiecał Robert. Pocałował ją i czytał dalej:

*Do tego czasu odeśpię trochę, zdążę schłodzić szampana i będę gotów świętować, cokolwiek macie mi do powiedzenia.*

— Stary łobuz! Wiedział przez cały czas.

*Ucałowania i niech Bóg Was błogosławi. Ben.*

— To wszystko? — spytała Emma po chwili.

— Niezupełnie.

Odwrócił kartkę i tuż pod podpisem Bena Emma zobaczyła trzeci mały obrazek: grzywa białych włosów, smagła twarz, para ciemnych, okrutnie przenikliwych oczu.

— Autoportret — zauważył Robert. — Ben Litton Bena Littona. Unikalny. Pewnego dnia możemy go sprzedać za tysiące funtów.

*Ucałowania i niech Bóg Was błogosławi.*

— Nigdy nie będę chciała go sprzedać — stwierdziła Emma.
— Ja też nie. Chodź, kochanie, pora wracać do domu.

———————